LE GORILLE

OSCAR MÉTÉNIER

Le Gorille

I

Dans un fumoir élégant de la rue Bellechasse, un soir de mai, se trouvaient réunis trois hommes, trois amis d'enfance, charmés de se retrouver après une longue séparation.

Ils n'étaient ni vieux ni jeunes. L'amphitryon était un militaire de haut grade, raide comme une lance, au parler brusque et bref, mais de cordiale humeur avec ses intimes, c'est-à-dire avec peu de gens.

Le deuxième avait dépensé en voyages d'exploration le meilleur de sa vie. Il portait les insignes ordinaires de cette carrière aventureuse; il était absolument chauve et très barbu.

Le troisième était un personnage de grande taille, aux cheveux blonds mêlés de blancs, à physionomie expressive, douce et attristée. L'homme du monde dominait en lui, comme l'homme d'action dans le militaire, et le sceptique dans le voyageur.

Et c'était justement pour fêter le retour de ce dernier, Adrien de Vermont, arrivé récemment de la côte orientale d'Afrique, que le général Mayran avait convoqué Paul de Breuilly.
M. de Vermont, emporté par son sujet, avait évoqué en poète la vie mystérieuse de ces pays étranges, éternellement rebelles à la civilisation européenne. Il en vint à parler chasses.

—Je me souviendrai toujours, dit-il, d'une certaine chasse au gorille qui m'a fait éprouver une des plus fortes émotions que j'aie ressenties.

—Raconte-nous cela, s'exclama le général; mais d'abord édifie-nous sur les moeurs particulières de cet animal-là. Je suis un ignorant, tu sais.

M. de Vermont sourit.

—Les gorilles, dit-il, sont, suivant la science officielle, des mammifères, des quadrumanes, famille des simiens, division des singes anthropomorphes, genre voisin des chimpanzés, créé par Isidore Geoffroy Saint-Hilaire et ne renfermant qu'une seule espèce: le gorilla gina de Hannon, le gorgona de Pline, le pongo d'André Battel. Pour les nègres de la Guinée, les gorilles sont d'assez méchants nègres, velus comme les troncs séculaires ou les roches où ils vivent, faisant des fagots, construisant des cabanes au moyen de ces fagots, enlevant des négresses pour leur sérail, mais ne sachant ni parler un idiome, ni faire du feu, ces deux apanages de l'humanité. Un peloton de gorilles, armés de ses dents et de simples bâtons, mettrait en fuite un de tes bataillons, Gustave, alors même que tu le commanderais en personne.

—Cette petite digression, dit le général, pour en arriver à nous dire que tu as tué tout seul une douzaine de ces colosses-là?

—Non, un seul, et pas à moi seul! J'étais à Denis, au Gabon, côte de Guinée. Une vaste case, au pied d'une colline, à la lisière d'un hémicycle de pâturages, bordé de grands bois, était habitée par un clergyman anglais avec sa famille. Sa fille aînée, miss Esther, était âgée de dix-huit ans et fort belle.

Un beau jour, elle disparut. Je laissai la mère et les autres soeurs en larmes, et je partis avec le père et quelques gaillards déterminés, pour une battue, de celles où une branche cassée, où des empreintes de pas sont les seuls guides.

Après trois jours, nous revenions plus tristes qu'en partant. Au moment de revoir fumer le toit de la case dans la plaine, nous retrouvâmes, sous un grand arbre, Esther gisant meurtrie, presque méconnaissable, roulée dans ses vêtements déchirés et tachés de sang. Elle semblait morte. Cependant ses yeux étaient ouverts et ils nous regardaient. Le clergyman se prosterna, en portant vivement la main sur le coeur de son enfant. Plus médecin que lui, j'examinai la situation, qui semblait désespérée, et je dis au père quelques mots à voix basse. Il frémit. La jeune fille fut relevée et emportée à la maison avec des précautions infinies, tandis qu'un nègre nous devançait pour annoncer à la mère que miss Esther n'était pas morte. Je puis vous dire qu'elle avait été guettée, emportée et violentée par un gorille.

Brisée, anéantie, folle de peur, miss Esther n'avait pu ni fuir, ni même se rappeler par où son athlétique ravisseur avait passé; elle s'était renfermée dans l'immobilité de l'oiseau surpris par la couleuvre; seulement elle avait supplié avec des larmes dans une langue que les gorilles n'entendent pas, et, comme le lion de Florence, le bourreau semblait avoir eu pitié de sa victime.

La brute avait subi l'ascendant d'une race supérieure, en abritant la prisonnière dans une cabane inaccessible, ébauchée sur un roc où l'on n'arrivait qu'en grimpant aux arbres. Le gorille lui apportait des fruits; mais, la voyant agoniser toujours et refuser toute nourriture, il prit son parti: il la chargea de nouveau, et sans plus songer à sa lubricité, il reporta Esther à l'endroit où il l'avait surprise et où nous venions de la retrouver.

Pour un gorille, il fit là quelque chose approchant du sublime; pour nous, il se désignait à notre vengeance. Elle fut terrible.

Le récit d'Adrien avait couvert de sueur le front de Paul de Breuilly.

—Savez-vous qu'il y a des gorilles ailleurs que dans les forêts du Gabon? dit-il à ses amis; seulement ils sont plus impitoyables! Mais pardon, Adrien, de t'avoir interrompu. Poursuis. La vengeance, dis-tu, fut terrible? Savourons un peu cette vengeance.

—Voici, dit Adrien. Je laissai miss Esther entourée des soins de sa famille, et je repartis pour les bois. Je n'avais avec moi que trois compagnons: un matelot français, un soldat anglais, un petit pointer, mon vieux compagnon de chasse; peu de vivres, des fusils de choix, des munitions excellentes. Quant au chien, il avait son admirable instinct et une obéissance inconnue chez les hommes. Bref, nous découvrîmes enfin la retraite du gorille, vieux solitaire qui avait élu domicile à une lieue de la plaine, dans l'endroit escarpé dont je vous ai dit un mot.

Il vivait de rapines, et il avait étranglé plus d'une négresse sans que personne s'en fût ému autant que de la disparition de miss Esther.

Surpris dans son fort, il ne chercha nullement à fuir. Quand il nous vit, non sans étonnement, parvenus de trois côtés différents sur son aire rocailleuse, le poil de son col se hérissa, ses narines se dilatèrent et, faisant entendre un cri de guerre aussi rauque qu'une trompette marine, ce lutteur, qui attaquait les panthères, sembla choisir qui de nous trois il égorgerait le premier.

Une première balle envoyée par le matelot français le toucha au dos, mais ne fit que lui effleurer l'omoplate. Il se retourna et, d'un bond prodigieux, se trouva à portée de mordre le canon du fusil et de le casser entre ses dents comme un sucre d'orge.

L'Anglais tira. J'ajustai aussi, mais je tremblais d'atteindre le matelot. En peu de temps, grâce à nos revolvers, le gorille reçut une averse de balles.

Les reins brisés, il faisait tête encore, hurlait, bataillait. Il nous aurait écharpés, broyés, malgré ses blessures, si une dernière balle que je lui logeai dans l'oeil ne l'avait fait rouler par terre; il tomba, cette fois, pour ne plus se relever.

Son dernier cri fut celui de l'homme que l'on égorge. Nous le trouvâmes Couché dans une boue sanglante, labourée par les ongles de ses mains énormes. Son cadavre était effrayant à voir. Nous lui fîmes un bûcher avec les débris de son ajoupa. Ainsi finit cet Almaviva rudimentaire!

Le comte avait écouté ce récit avec un intérêt fiévreux.

—Si tu rencontrais sur le boulevard, dit-il à M. de Vermont, un gorille de l'espèce du tien, bien qu'ayant un état civil en règle et une position notariée excellente, te chargerais-tu de le tuer?

—Cela dépend, repartit le sceptique, sans trop comprendre où Paul voulait en venir. Si j'étais sûr de l'impunité et qu'il s'agît de venger une miss Esther....

—Il y a longtemps, dit tristement le comte de Breuilly, que je me pose cette question....

—Voilà une transition superbe pour arriver à faire ton petit récit, mon cher Paul, dit le général. Eh bien! si Adrien a fini, à toi la parole!

—C'est que je n'ai nulle envie de la prendre, dit le comte d'un air naïvement contrit.

—Pour te taire, dit Adrien, il faut que tu craignes de nous intéresser trop.

—Ou pas assez, objecta Paul. Je voulais dire seulement qu'ayant fait de l'anthropologie, je tiens la communauté d'origine du genre humain pour une question secondaire. Pour moi, il est aisé de reconnaître à première vue que tel type humain procède des ruminants, tel autre des batraciens, tel autre des singes; celui-ci de l'aigle, celui-là du hibou. On coudoie des gorilles et des bouledogues, exactement vêtus comme vous et moi et se croyant nos égaux. C'est très drôle et très horrible.

Sur ce point, un domestique entra et remit à M. Mayran un journal sur un Plateau de vermeil.

Le général regarda la bande et lut cette adresse écrite à la main:

A Monsieur le général Mayran, pour remettre à Monsieur le comte de Breuilly.

—Écriture de femme! pensa le militaire; mais il se tut et passa le journal à Paul.

C'était une feuille mondaine. Paul déchira la bande d'un geste brusque, déplia rapidement le journal, passa à la seconde page, comme s'il était sûr de ne rien trouver d'intéressant dans la première, et penché vers la lampe, il s'arrêta tout à coup à un article quelconque, mais qu'un large trait de plume désignait à son attention.

Presque en même temps il saisit son chapeau, passa lestement son pardessus et dit à ses interlocuteurs ébahis:

—Pardon, mes amis, de prendre aussi promptement congé de vous; mais il faut que je parte. Que Mayran veuille bien me faire avancer une voiture!

Quand il fut à la portière de la voiture de louage qu'un domestique était allé chercher, Paul de Breuilly jeta au cocher ces seuls mots: Gare Montparnasse!

En même temps, Gustave Mayran et Adrien de Vermont se demandaient si le comte était conspirateur ou amoureux.

—As-tu toujours connu de Breuilly aussi étrange? demanda de Vermont au militaire.

—Paul, répliqua Mayran, est un homme dont la poitrine est percée de part en part et qui porte le fer dans sa plaie. S'il vit encore, c'est par un miracle de volonté.

—Un amour tardif, peut-être?

—Oh! moi, dit le général, je n'entends rien à l'amour! D'ailleurs, Paul n'a plus vingt ans.

—Où était-il à vingt ans? demanda Adrien.

—Je crois, en Allemagne, dit Gustave; mais je n'ai jamais su ce qu'il y avait fait.

II

Le comte de Breuilly était originaire du Languedoc, et très gentilhomme au point de vue du caractère.

Sa vie avait été pleine de mystère. Militaire, il avait quitté le service pour se marier, et, depuis lors, il s'était voué à la science avec l'acharnement d'un homme qui se fuit lui-même, et à la musique par passe-temps. Il s'était fait ainsi une vie occupée, la partageant entre ses livres, son violon et les soins qu'il rendait à sa famille. Il avait eu deux enfants, un garçon, d'humeur bouillante et aventureuse, et une fillette, blonde, pâlotte, pour qui son frère était le soleil.

Le siège prussien avait emprisonné dans Paris, en 1870, le père, la femme et les enfants.

François de Breuilly, engagé volontaire, tomba à Champigny, dans un fossé de neige, pour ne plus se relever. Le père sortit de Paris pour aller reconnaître les restes de son fils unique. Louise, malgré les efforts réunis de son père et de sa mère, avait voulu l'accompagner.

Sa détermination était si formelle, et pour ainsi dire si violente, que le père céda, et ce fut la jeune fille qui, en furetant le long d'une tranchée funéraire, entre les deux files de Frères de la Doctrine chrétienne qui maniaient la pioche dans ce cimetière improvisé, prononça tout à coup, le doigt levé, ce seul mot: François!. Puis elle chancela.... Le comte regarda le mort en soutenant sa fille évanouie. François était là, tranquille et raide sur sa dernière couche, un trou à la tempe, le képi encore au front. Le père trouva la force d'emporter sa fille, croyant retenir vivante la seconde des créatures qu'il avait le plus aimées; mais elle ne se remit point de cette épreuve. Elle était dans l'âge d'éclosion des jeunes filles. L'ébranlement de la douleur et le froid lui furent fatals. Peu de mois après, elle mourut de la balle qui avait tué son frère.

M. de Breuilly et sa femme se demandèrent s'il était possible d'être plus malheureux.

La maison était bien vide et les jours désormais coulèrent longs et tristes pour ces deux êtres si éprouvés.

Parfois, dans le silence de cette demeure désolée, le père, commençait Une phrase:

«Quand j'avais vingt ans!...» Mais il n'achevait pas.

—Eh bien! répliquait la comtesse, quand vous aviez vingt ans?

—Ai-je dit cela? répondait Paul; mais il semblait avoir oublié déjà sa pensée.

Blanche se répétait à elle-même:

—Que signifie? Il était alors en Allemagne, mais, à part des études scientifiques, je n'ai jamais su ce qu'il y avait fait. Du reste, les hommes sont généralement sobres dans le récit de leur première jeunesse; il ne faut pas le tourmenter, il est assez malheureux....

Un matin, à sa stupéfaction, Blanche, arrangeant dans un vase les fleurs qu'elle avait cueillies la veille au cimetière, crut entendre, et entendit en effet, le susurrement d'un archet sur un stradivarius qui, depuis la bataille de Champigny, n'était pas sorti de sa boîte. Elle tourna vivement la tête vers les fenêtres de Paul, et il lui fallut l'entrevoir pendant quelques minutes, avec l'instrument de musique à la main, pour se convaincre qu'il avait repris son violon et qu'il en jouait.

Il y avait quelque chose d'effrayant pour elle dans cette espèce de miracle; mais, si consoler son mari de leur commune douleur était bien un devoir qu'elle s'était imposé, elle n'en tenait pas moins Paul pour inconsolable. Vouée désormais aux capelines noires, répudiant les grâces de son sexe, se plaisant même à ressembler aux religieuses, elle n'était plus femme; et, à ce trait d'un archet courant, agile encore, sur une chanterelle raffermie, elle augura que sa propre vieillesse avait devancé les années de Paul. Son mari, plus robuste et peut-être moralement plus jeune, n'avait donc pas dit encore aux joies de la terre un éternel adieu?

Les solitaires et les mélancoliques remarquent tout. Paul avait un gardien plus attentif dans la personne de Blanche que dans n'importe quel infirmier; d'abord parce qu'elle l'aimait, et ensuite parce que, n'ayant plus que lui, elle tenait à l'avoir tout entier. Ce réveil accidentel du violon eut donc des retentissements extraordinaires dans l'hôtel de la rue de Verneuil, où habitaient les deux époux. Il marquait une crise, une transition.

Mais il fallait que Blanche se définît à elle-même cette métamorphose, car elle ne pouvait dire à un homme désespérément triste: Vous êtes donc bien gai aujourd'hui?

Paul modula plusieurs fois une phrase charmante, une phrase unique, Inconnue de Blanche, qui, grande pianiste, croyait avoir, dans la mémoire, toutes les musiques de quelque renom. Le retour de Paul à la musique étonna d'autant plus que son caractère était plus égal. Il ne se reposait jamais d'être lui-même, parce que cela tenait à sa nature et ne le fatiguait pas. Les caprices lui étaient inconnus. De telles gens ne courent point les rues; aussi les hommes, qui l'avaient apprécié dans ses jours heureux, le recherchaient encore. C'est ainsi que, deux fois par semaine, on voyait, arrêtés à sa porte, quelques équipages du faubourg Saint-Germain.

On venait là pour causer comme on ne cause plus guère. La tristesse de cet intérieur n'en avait pas banni ce certain tour d'esprit aimable, qui s'était jadis réfugié à la Conciergerie lorsque la Terreur y avait exilé le high life du temps.

Ces réunions autour d'une table à thé commençaient à neuf heures pour finir à onze. Par exception, le petit vicomte de Charaintru, qui vivait sans penser, n'était pas le moins assidu, bien qu'en gommeux et en désoeuvré qu'il était, il ne pût trouver personne chez le comte Paul qui ressemblât à ses habituelles relations; mais Charaintru était capable d'attachement, et il n'était pas fâché de faire événement dans un milieu où on l'écoutait d'autant plus volontiers, qu'il donnait rarement à ses interlocuteurs la peine de lui répondre. Très potinier, il mettait les pieds dans le plat, selon son expression, mais sans malice et assuré de l'indulgence d'un hôte plus âgé et très miséricordieux comme l'était Paul.

Cet enfant terrible de trente-six ans, habitué à rire lui-même de son prénom d'Hercule, n'avait étouffé de sa vie aucun serpent, et quand il était naïvement vipérin, c'était par bavardage et sans noirceur aucune.

Or, il lui arriva de dire un jour, avec une étourderie qui semblait enfantine, que Paul avait donné à ses promenades un nouvel itinéraire, puisque Charaintru le voyait tous les jours, entre quatre et cinq, passer sous ses fenêtres de la rue d'Anjou.

—Surveillez-le, Madame, ajouta-t-il, en s'adressant à Blanche: votre mari est dans l'âge critique des hommes, l'âge des passions tardives et des incurables amours.

—Voilà, dit Paul avec un sourire impénétrable, ce qui s'appelle mettre, d'intention au moins, les pieds dans le plat.

—De ma vie, cher ami, vous le savez du reste, répliqua le pygmée, je n'ai fait autre chose.

—Vous avez pris mon mari pour un autre, dit Blanche; car il va plus souvent au cimetière qu'au faubourg Saint-Honoré.

—Je puis, dit Paul, avoir conçu soudainement un amour à la Des Grieux, pour une ingénue des Folies-Marigny!

—Non, mon cher, riposta Charaintru, excusez-moi! Les répétitions des Folies-Marigny finissent à trois heures, et, vu la pluie, le café des Ambassadeurs n'ouvrira que dans quinze jours. Enfin, dans mon voisinage, il n'y a pas de bouquinistes pour vous couvrir. Cherchez-vous des nids de corneilles dans les peupliers de l'Elysée? Pas davantage!

—Arrivons, répartit Paul, un peu contrarié; nommez, sans attendre, l'objet de ma flamme.

—C'est m'imposer silence, car j'ignore jusqu'à la première lettre de son nom.

Cependant la comtesse cherchait, sans le trouver, ce que son mari allait faire, chaque jour, à la même heure, rue d'Anjou Saint-Honoré....

—-Eh! mon Dieu! continua Charaintru, j'ai failli, moi aussi, avoir un roman dans ma propre rue, circonstance toujours agréable par un temps de pluie. La jeune dame était fort grande et blonde, approchant comme vous, cher de Breuilly; par contre, le mari était un petit noir, environ comme moi, et qui paraissait mauvais comme la gale (je ne nomme personne!). Voici donc mon petit potin personnel. Commencement....

—Peut-être, interjeta Paul, feriez-vous mieux de commencer par la fin.

—Pourquoi? demanda naïvement Hercule.

—Pour abréger, riposta le maître de la maison avec une nuance de sévérité mécontente.

—Vous me troublez, s'écria Charaintru, comme un enfant interrompu dans la récitation de sa fable.

—Je demande le dénouement, répéta Paul d'un ton contenu, mais froid.

—Il n'y a pas eu de dénouement, dit Hercule.

—Pardon, il y a toujours un dénouement.

—Fleurs et correspondance anonymes, tout s'est borné là!

—Correspondance se dit d'un échange de lettres. Avez-vous reçu des réponses?

—Pas une, répondit le petit vicomte avec une franche bonhomie.

—Alors, mon bon, pas de noeud à l'intrigue. Est-ce tout?

—Oui, dit Charaintru.

—Pas de correspondance? Pas d'intrigue? Ce n'est donc ni un roman, ni même un potin! Vous n'avez pas tenu votre promesse, et je vous retire la parole.

Charaintru regarda Blanche, qui regardait son mari.

Il y eut un froid; mais Mme de Breuilly fit dérailler la causerie, qui roula dans une autre direction.

Quand il fut avéré pour elle que Paul sortait à des heures régulières et qu'il y tenait, et quand elle eut essayé vainement de lui faire avouer le but de ses sorties, à tort ou à raison elle ne douta plus de ce qu'elle appelait «sa disgrâce».

Jamais, toutefois, Paul n'avait été plus prévenant ni plus gracieux; Mais la jalousie, comme l'amour, court à son projet sans s'inquiéter Beaucoup de la logique. Un homme qui s'absente sans dire où il va trompe nécessairement sa femme, et s'il en aime une autre, c'est donc qu'il n'aime plus la première?

Il ne s'offrait, pour Blanche, que deux moyens de combattre l'ennemie, puisqu'il y avait nécessairement une ennemie: ou courir sus et la combattre, ou bien employer ce moyen délicat et généreux qui consiste à négliger la rivale et à ramener sur soi seule l'attention et la préférence, par une incomparable tendresse.

Il était dans les aptitudes de la comtesse, femme supérieurement noble d'esprit et de coeur, d'incliner au second parti et de le suivre avec beaucoup d'art et d'opiniâtreté. On vit donc alors ce que l'on voit rarement: une mère en deuil rejeter ses crêpes et, du recueillement de la vie dévote, revenir à la fébrile activité de la vie, mondaine, à commencer par la musique.

Elle se commanda d'être belle et aimable, et elle le pouvait encore. Elle se préoccupa de mille riens, délaissés, oubliés, et son miroir put lui rendre ce témoignage: que la plupart des femmes plus jeunes qu'elle ne pouvaient entrer en ligne avec la comtesse de Breuilly.

N'étant plus une jeune femme, elle fut une femme jeune. Paul y prit garde et l'en félicita de façon à la payer de ses soins; mais Blanche n'osait attaquer de front cette heure redoutable de «quatre heures», à laquelle Paul disparaissait invariablement; et, quoique se sentant déjà plus forte, elle se prêchait le courage à elle-même, sans parvenir à se le donner.

Enfin, un jour d'été, où la beauté d'un temps doux, après un orage, conviait les rares Parisiens restés à Paris à revoir les horizons factices du bois de Boulogne, Blanche eut l'audace de demander à Paul deux heures de son temps et le tour des lacs.

Il était trois heures et demie. Paul y consentit sans hésiter, et il s'exécuta de la meilleure grâce.

Ils partirent comme de vieux amants pour le bois, et la promenade se serait accomplie dans toutes les conditions d'un contentement parfait pour Mme de Breuilly si, au point de séparation des deux lacs, un rien, un pli de rose n'avait rappelé soudainement Blanche à ses préoccupations.

III

Le coupé de maître qui menait Blanche et Paul dans la direction de Longchamps se trouva un moment retardé, entre les deux lacs, par un embarras de voitures. Il y en eut une qui, par une fausse manoeuvre de son conducteur, faillit frapper en flanc, de sa flèche d'acier, le siège du cocher de M. de Breuilly.

C'était un landau bleu, découvert et attelé dans le dernier genre. Une très jeune femme y trônait seule. Abritée sous une ombrelle doublée et bordée de guipure blanche, l'inconnue, dont la toilette rose et grise, plus austère que les modes nouvelles, faisait pourtant valoir une taille svelte et délicieuse, ne put retenir un léger cri en voyant la tête de ses chevaux se heurter presque à la lanterne de l'autre voiture. En ce moment, les yeux des trois personnes se rencontrèrent.

Paul porta, comme instinctivement, la main à son chapeau; pas un muscle de son visage ne tressaillit. La jeune blonde rougit en souriant vaguement, mais elle tourna aussitôt toute son attention sur la dame qui accompagnait M. de Breuilly. Les deux femmes passèrent ainsi, l'une de l'autre, une de ces revues auprès desquelles une inspection militaire n'est qu'un jeu d'enfants. Rien n'échappa ni à l'une ni à l'autre, sur leur âge, leur condition, leur toilette, l'expression de leur physionomie.

Blanche acquit la conviction que la belle blonde connaissait M, de Breuilly. Mais, pensa-t-elle, si c'est là ma rivale, chaque jour visitée entre quatre et cinq heures par mon mari, comment l'a-t-il prévenue de ne pas l'attendre aujourd'hui? Nous sommes partis de la rue de Verneuil avant quatre heures, et Paul ne m'avait pas quittée un seul instant! De quel raisonnement a-t-elle conclu que Paul n'irait point, qu'il viendrait ici, qu'elle pourrait le rencontrer et échanger encore avec lui, faute de mieux, un regard tendre?

—Mon ami, dit Blanche résolument, vous connaissez cette personne vraiment charmante? Vous plaît-il de me dire son nom?

—Je ne suis pas l'Almanach Bottin, objecta Paul en souriant.

Réponse si raisonnable et si parfaitement unie, que Blanche en fut désarçonnée encore une fois. Mais, se ravisant:

—Je n'ai, dit-elle, aucun souvenir de ce visage, du temps où j'étais du monde et où j'y allais! Et vous, mon ami?

—Le monde est un kaléidoscope! dit le comte évasivement.

—Elle vous ressemble un peu, cette gracieuse figure, insista Blanche.

—Flatteur pour moi! balbutia Paul, en s'inclinant d'un air distrait. Ce visage où pas une ride ... tandis que le mien....

Il n'acheva point.

—Mon ami, dit, un kilomètre plus loin, la pauvre comtesse, il y a de chacun de nous une histoire que nous savons seuls, et que nous oublions même quelquefois.

—Oui, répliqua Paul; cette remarque, qui est, je crois, d'Alphonse Karr, pourrait être de vous, qui avez, dans l'occasion, tant de verve et d'humour,

—Merci, mon ami. Eh bien! je me figure qu'il existe de vous une histoire inédite, antérieure à moi, et dont vous me faites mystère depuis quelques vingt ans.

—Une seule histoire serait trop peu, ma chère Blanche. Moi, je parie pour la demi-douzaine, sans avoir pris le temps de les compter avant de vous répondre. Que de folies s'accomplissent pour un jeune homme, entre vingt et vingt-cinq ans! Mais tout cela tiendrait aujourd'hui dans la paume de la main.

—Y compris le sang des blessures et les cendres des souvenirs?

—Le sang des blessures! répéta Paul avec une feinte ironie. Il faudrait savoir d'abord si les blessures de cette époque de la vie rendent beaucoup de sang!

—La cicatrice que vous portez au menton, mon ami, et que vous attribuez à un accident de chasse, pourrait bien....

—Non, répondit le comte avec une sévérité triste mais décisive, non! Absolument rien de romanesque de ce côté! Tournez hardiment la page, cette blessure n'était qu'une blessure bête!

Mme de Breuilly se mordit les lèvres et ne parla plus.

Au, bout d'un moment, Paul, craignant d'avoir affligé Blanche par un peu de brusquerie, renoua la conversation sur un sujet différent. Il parla musique avec un intérêt qui gagna la comtesse, et elle finit par ne plus ressentir l'acuité du trait que le regard de la jeune inconnue lui avait décoché. En se retrouvant dans son salon sans avoir eu à s'affliger, ce jour-là, de l'absence de son mari, elle s'approcha de son piano, l'ouvrit et elle chercha sur le clavier la phrase musicale dont elle avait eu la révélation, un matin que Paul jouait du violon après des années de silence.

On ne sait ni pourquoi une phrase musicale rentre dans la mémoire, ni Pourquoi elle en sort; C'est de sa promenade au bois que Blanche avait rapporté cette musique. Elle l'essaya, la retrouva, et le résultat fut qu'en même temps, ou presque en même temps, Paul reprit son archet et joua du commencement à la fin, non plus une phrase détachée, mais tout le morceau, parfaitement nouveau pour la comtesse. Elle se tut, pour bien écouter, et, cette fois, retenir le chef-d'œuvre inconnu.

C'en était un, sans nom d'auteur, mais à la composition duquel le génie Allemand avait dû présider.
Blanche se leva, ouvrit la porte du salon, qui donnait dans le cabinet de son mari, et elle lui dit:

—Quelle est donc cette musique que nous jouons tous les deux sans nous être concertés?

—J'ai entendu cela à Dresde, il y a vingt-cinq ans; un duo pour violon et clavecin, comme on disait encore dans la société française de ce pays-là. Et vous, Blanche, vous la connaissez sans doute pour me l'avoir entendu fredonner?

—Si vous saviez, mon ami, où trouver cette musique, nous pourrions l'étudier ensemble, puisque vous l'aimez.

—Je m'en informerai, répliqua M. de Breuilly.

Mais, du ton même dont il fit cette réponse, Blanche inféra qu'il était résolu à ne pas s'en occuper. Elle pensa qu'il exécutait ce duo avec une autre musicienne qu'elle, et peut-être ... rue d'Anjou-Saint-Honoré.

—Êtes-vous bien sûr, Paul, reprit-elle, avec un triste sourire, d'aimer encore à faire de la musique avec moi?

—Et vous, ma chère Blanche, êtes-vous bien sûre de ne pas exiger de moi, depuis quelque temps, la démonstration extérieure de sentiments qui, chez moi, pour être plus latents, n'en sont que plus profonds? Nous avons traversé de si grandes peines, que nous sommes excusables d'être un peu moins alertes qu'aux beaux jours.

—Le coeur des femmes est ainsi fait, interrompt la comtesse, qu'elles veulent tout avoir, dans ce moment suprême où elles sentent que tout va leur échapper.

—C'est un cri du fond de ton âme, Blanche, répondit Paul en allant à elle et la pressant dans ses bras. Pauvre enfant, que crains-tu de perdre encore? D'où vient la fébrile appréhension qui te ronge? De qui donc ou de quoi donc te sens-tu jalouse? L'étais-tu de nos pauvres enfants, quand tu me voyais les adorer! Le serais-tu d'un troisième enfant, si Dieu nous l'accordait encore? Et toi-même, l'aimerais-tu moins que moi?

—Oui, naturellement, s'il était l'enfant, d'une autre mère! Mais, que parlez-vous d'un troisième enfant? Vous savez, hélas! tout comme moi, que je n'en aurai plus... Seulement, la prédilection pseudo-paternelle, l'adoption est quelquefois une tentation de votre âge, Paul.

—Oui, très forte! répondit loyalement le comte. Mais je sens bien par ce que vous venez de dire, que vous ne partagez point ce genre de prédilection! Il serait donc absurde, de ma part, d'y songer,

—Vous y avez donc songé, vous?

—Je viens de le dire.

—Vous aviez en vue quelqu'enfant?

—C'est fini, n'en parlons plus jamais!

Il n'y avait pas à répliquer.

Blanche sortit, effrayée par l'expression du visage de son mari.

Mais quand M. de Breuilly fut seul, il pleura, longtemps, comme une femme, les poings dans les yeux, sans aucun bruit. Le terrain venait de manquer sous ses pas....

—Eh bien!_dit une voix qu'à travers la porte M. de Breuilly reconnut pour celle de Charaintru, demandez à monsieur le comte s'il consent à me recevoir, quoique l'heure assurément soit mal choisie.

Le domestique ainsi interpellé vint frapper à la porte de Paul, déjà occupé, devant sa toilette, à faire disparaître la trace de ses pleurs par des ablutions réitérées.

—Dans un moment, Hercule, je suis à vous, cria-t-il à Charaintru par la porte entrebâillée, et bien que mentalement il envoyât le visiteur à tous les diables.

Quand ils furent en présence:

—Mon cher Paul, dit Hercule, je viens sans façon vous demander à dîner, sous la réserve de l'agrément de madame de Breuilly, bien entendu.

—Je me porte garant pour elle, répliqua Paul en offrant un siège à Charaintru. Qu'y a-t-il de nouveau?
—Je voulais, reprit celui-ci, être très sûr de vous rencontrer, et j'ai choisi l'heure du repas, ayant quelque chose d'important à vous dire. Nous sommes seuls, n'est-ce pas?

—Absolument seuls.

—Tant mieux; ce que j'ai à vous dire ne comporte aucun témoin.

—Je vous écoute.

—L'autre jour, mon cher Paul, dit Charaintru, je vous ai horripilé, sans le vouloir, par un stupide bavardage...

—J'ai oublié cela, mon cher Hercule. D'ailleurs, que pouvait m'importer?...

—Aujourd'hui, je viens demander un service, comme si vous étiez fort disposé à me le rendre.

—J'espère que vous n'en doutez pas.

—Que vous êtes bon! Eh bien! là, que savez-vous de la position financière de Berwick, le banquier bien connu?

—Mais quelle raison aurais-je de savoir cela? Les banquiers juifs et moi...

—Mon Dieu! les plus purs d'entre nous peuvent avoir eu affaire à des banquiers juifs! Berwick est excessivement en vue. Vous êtes riche. Vous spéculez quelquefois...

—Ici est votre erreur, Hercule; je ne spécule jamais.

—Sans spéculer positivement, vous avez, m'a-t-on dit, un compte ouvert chez Berwick. Sa solvabilité vous intéresse donc, et alors, s'il est quelqu'un de bien informé, c'est vous. Informez-moi donc à mon tour.

—Eh bien! Hercule, vous me croirez si vous pouvez, mais c'est à vous que je demanderais la cote de Berwick sur la place, si j'avais besoin de le savoir. Je ne sais rien, vous semblez savoir quelque chose, puisque vous en demandez plus; eh bien! dites-moi ce que vous savez, et c'est vous qui m'aurez rendu service.

—Je vais tout vous dire, Paul. Je suis venu à vous, vous sachant homme de conseil, parce que j'ai ouï dire que le nouvel attelage de Berwick, acquis pour épater le bourgeois, masque l'imminence d'une banqueroute, et ... je suis fortement engagé avec Berwick. En second lieu, parce que vous passez pour connaître sinon le Berwick lui-même, du moins ses origines, ses attaches, sa famille, et que vous devez la vérité à un ami comme moi... Vous pouvez savoir si, comme on le dit encore, les beaux yeux de madame Berwick soutiennent le crédit du banquier; si un protecteur anonyme, mais puissant, est sollicité d'empêcher la barque de sombrer, si....

Le vicomte de Charaintru allait toujours récitant la leçon qu'il s'était faite à lui-même avant d'entrer chez Paul. Chemin faisant, toutefois, il eut l'idée de regarder M. de Breuilly, et la pâleur qui couvrait les traits de son interlocuteur arrêta court le petit Hercule.

—Mais ... vous n'êtes pas bien? lui demanda-t-il avec un cordial intérêt, en lui saisissant les deux mains. Vous souffrez! Dois-je appeler?

Paul, qui agonisait en silence, ne put que lui faire un signe impérieux de s'abstenir.

Charaintru imagina qu'il venait et cette fois sans le vouloir, de mettre encore les pieds dans le plat.

Paul, toujours silencieux mais se raidissant, fit l'effort de se lever et de marcher—en s'appuyant aux meubles—vers une fenêtre du salon. Elle était entr'ouverte; il l'ouvrit toute grande par un geste brusque, aspira à longs traits l'air du dehors, et comme Hercule l'avait suivi, prêt à le soutenir, Paul se retourna enfin et lui dit:

—Ce n'est rien!... Un éblouissement!... J'ai beaucoup souffert dans ma vie, et ... je ne suis plus jeune!...

—Ce n'est pas ce que je vous ai dit, au moins, mon cher Paul?

Paul, s'asseyant près de la fenêtre ouverte et regardant Charaintru bien en face, avec un sourire forcé, lui répondit:

—C'est si peu ce que vous m'avez dit que, déjà souffrant à votre arrivée, je n'ai pas saisi un mot des dernières choses que vous m'avez racontées. Je voyais remuer vos lèvres et je ne vous entendais plus. De quoi parliez-vous donc?

—Je parlais des potins qui courent sur Berwick, et je vous demandais...

—Ah! oui! s'il vendait sa femme pour combler un déficit? Si un galant homme sauverait sa barque ou son huit-ressorts à point nommé? Écoutez bien ceci, Charaintru: je ne sais pourquoi vous m'avez choisi pour confident à propos des opérations d'un homme qui n'a jamais été pour moi que le guichet vitré et grillé d'une caisse plus ou moins publique. Si vous avez fait la cour à sa femme, comme vous le donniez, l'autre soir, à entendre, en appelant Berwick le petit noir, vous savez à vos dépens à quoi vous en tenir sur la vertu de cette dame? Et alors, pourquoi m'interrogez-vous? Si vous avez des fonds chez ce banquier, retirez-les! Je n'en sais pas davantage.

Hercule écoutait Paul avec une sérieuse attention; mais doutant encore de l'ignorance dans laquelle Paul se drapait avec tant de tranquillité apparente, il ajouta:

—Mais enfin, vous, monsieur de Breuilly, si vous aviez à cette heure des fonds chez Berwick, les retireriez-vous?

Ici Paul eut une minute d'hésitation. S'il croyait à la vertu de Mme Berwick, il était cruellement édifié sans doute sur l'actif et sur la probité du mari. Il retarda sa réponse en adressant à Charaintru cette question:

—Somme toute, que vous doit Berwick?

—Cent cinquante mille francs! Répliqua le petit vicomte sans hésiter.

Paul se releva, marcha dans le salon comme s'il se livrait en lui un combat terrible, et il finit par dire à Hercule:

—Berwick est bon pour vos cent cinquante mille francs.

IV

Paul de Breuilly donna à dîner au petit vicomte, comme si de rien n'était. Blanche, qui ignorait la conversation qui avait précédé le dîner, fut presque enjouée. Il vint, dans la soirée, plusieurs personnes. Il y eût une table de whist où Paul prit place. Mme de Breuilly eut un assez long aparté avec Charaintru. Mais, bien que Paul se défiât de la sotte langue d'Hercule, il s'était assuré de son silence en lui demandant sa parole d'honneur de laisser les Berwick de côté dans ses causeries de ce soir-là, et le petit vicomte étant bien vicomte en ceci, qu'il savait tenir sa parole.

Cependant, à un chassé-croisé dans la partie de whist, Paul, ayant quitté son fauteuil, vint auprès du divan où Blanche causait avec Hercule.

—Le vicomte me parlait de vous, mon ami, répliqua Blanche; il me conviait à lui dire s'il serait accueilli en vous faisant une amicale proposition qu'il m'a exposée en détail.

—Et laquelle? demanda Paul en serrant légèrement le bras d'Hercule.

—Je prie madame de conserver la parole pour vous exposer ce dont il s'agit. Elle s'en acquittera mieux que moi.

—Mon Dieu, reprit Blanche, cela n'est pas d'une complication extrême, M. de Charaintru a, paraît-il, un cheval anglais dont la taille (c'est le vicomte qui parle) correspond mieux à la vôtre qu'à la sienne. De plus, il s'est épris d'un double poney ... sans grand usage chez nous, depuis que...

—Oui, interrompit Paul, qui voulait dispenser Mme de Breuilly de prononcer le nom de son fils mort. Et alors Hercule rêverait un échange?

—Avec toutes les compensations voulues! ajouta aussitôt le petit vicomte d'un ton courtois.

—Cela se trouve merveilleusement bien, reprit Paul sans sourciller: je veux réformer mon écurie. Je ne puis donc point acquérir votre anglais; mais, au prix qui vous conviendra, mon double poney est à vous.

Blanche ne s'était nullement attendue à un accord aussi prompt, sachant que Paul gardait le poney en souvenir du pauvre François. Et puis ce mot: réformer mon écurie, indiquait des résolutions qu'elle n'avait pas soupçonnées.

—Voulez-vous aussi notre Clarence, insista M. de Breuilly. Vous pourrez y atteler votre anglais, s'il est à deux fins.

—Je réfléchirai à cela, repartit Hercule, presque aussi surpris de cette liquidation de la remise que Blanche de la liquidation de l'écurie.

Puis les groupes du salon se formèrent autrement. Hercule alla s'asseoir au whist, et Blanche, tout en causant avec deux dames de ses amies, sonna pour le thé.

A onze heures et demie, il n'y avait plus personne dans le salon de la rue de Verneuil; Blanche se faisait déshabiller par sa femme de chambre, et Paul, retiré dans son cabinet, se mettait à compulser des papiers et à couvrir de chiffres plusieurs pages.

Le lendemain matin, quand Blanche s'éveilla, le poney de son fils était déjà emmené par le palefrenier chez le petit vicomte, sur l'ordre de Paul, qui, par cette attention délicate, évita à la pauvre mère le chagrin de voir partir, et peut-être la fantaisie de caresser une dernière fois le cheval que François avait aimé et monté.

Ce fut ensuite sans aucune solennité et du ton uni et affectueux dont les gens courageux savent parler d'une grande catastrophe à ceux qu'ils chérissent, ce fut, en un mot, avec la bonne humeur d'un ancien soldat que Paul dit à sa femme:

—Eh bien! ma chère, il faut nous préparer à un petit sacrifice purement mondain. Il n'est qu'heur et malheur ici-bas! Bienheureux sommes-nous encore, vous et moi, puisqu'il n'y va que de la caisse! Je connais votre grand coeur et votre excellent esprit, et je dois vous avouer que nous sommes décidément ... un peu ruinés! Je n'ai que faire de vous dire que je n'ai point perdu au jeu, puisque je ne joue point. Je ne suis d'aucun cercle et je ne vais jamais à la Bourse. Quoi qu'il en soit, j'ai perdu et pas mal perdu! Rassurez-vous: votre dot est intacte! Du reste, voici les chiffres...

Et, tirant de son portefeuille une petite note, Paul lut ce qui suit:

—Cet hôtel vaut cent cinquante mille francs, au prix, faible toujours, d'une réalisation immédiate. Il y a ici cinquante mille francs de tableaux et de mobilier. Mes chevaux et ma voiture représentent, au bas mot, vingt mille francs. Et il me faut 300,000 francs en chiffres ronds pour boucher un trou qui n'a été creusé ni par mon incurie, ni par mon imprudence. Ma fortune y passera, mais vous voyez que cela n'effleure en rien le patrimoine qui vous est propre et qui est placé en rentes, car j'aimerais mieux mourir que d'y toucher.

—Mais alors, Paul, il ne vous restera rien? Et comment cela est-il arrivé?

—Eh bien! nous avions de la marge pour vivre et nous n'aurons plus que le nécessaire; nous en aimerons-nous moins?...

—Tout pour ce mot-là, Paul! s'écria l'honnête et tendre femme en se jetant dans les bras de son mari. Je ne regretterai rien, je ne m'apercevrai de rien. Je te dis, Paul, qu'à part le deuil qui nous suivra jusqu'à la tombe, je suis la plus heureuse des femmes avec toi!

—Aussi est-ce sans aucune appréhension, ma chère Blanche, que je t'avais attendue là.

—Maintenant, est-il bien sûr que ... ce soit perdu, perdu sans remède!

—Oui!

—Vous avez été trompé?

—Je voudrais vous répondre que non, car j'ai, moi aussi, de l'amour-propre.... Enfin, mettons que j'aie été trompé....

—Ah! mais ... où allons-nous prendre notre retraite?

—J'ai pensé, cette nuit, que peut-être il vous agréerait, comme à moi, de vous rapprocher des tombes qui nous sont chères. Alors ... les Batignolles?... Le cimetière Montmartre est tout près de là.

—Les Batignolles! Pourquoi pas? Répliqua sans hésiter la comtesse.

—Laisse-moi t'admirer! dit Paul en couvrant de baisers les mains de Blanche.

La liquidation de M. et de Mme de Breuilly fut prompte et cruelle. En voulant réserver les objets auxquels se rattachaient de précieux souvenirs, Paul et Blanche s'aperçurent qu'à ce compte ils n'abandonneraient aux tapissiers que des banquettes. On attaqua la réserve en fermant les yeux, de peur de s'attendrir, et le mobilier tout entier, sauf les portraits de famille et quelques meubles personnels, y passa. Le poney de François était vendu à Hercule, les deux lits de François et de sa soeur, avec les armes du premier et les poupées de Louise, furent conservés comme reliques.

Ces émotions, sans cesse renaissantes pendant huit jours, firent ployer la taille encore si droite de Paul, comme sous un invisible fardeau. Mais son chagrin n'était pas borné à l'abandon de son hôtel. Il en avait un autre dont il ne parlait à personne.

Les Anglais meurent du spleen, qui n'a pas de larmes et qui n'a pas d'objet. Les Allemands ne connaissent en général, de la douleur, que les phrases à effet et les libations posthumes. Seuls, les Français, qui passent pour légers, peuvent devenir fous de chagrin ou en mourir.

Le logis que Paul de Breuilly loua aux Batignolles, après avoir vendu le petit palais de la rue de Verneuil, était situé rue de la Condamine. C'était un modeste rez-de-chaussée, sur un perron de dix marches, entre cour et jardin. Le jardinet, au midi, séparé, par ses murs d'espaliers, des jardins du voisinage; la cour, au nord, ayant un puits, un poulailler et des plantes grimpantes.

Les lits des enfants, dans deux jolies mansardes, demeurèrent faits, comme si ces êtres si chers étaient attendus. Les divers souvenirs qui restaient d'eux furent groupés à leur chevet: des nippes, des jouets, des cheveux coupés à différents âges, sur des têtes blondes ou brunes, et enchâssés dans des médaillons, au-dessous de photographies.

Le matin, en se levant, Paul s'occupait avant tout de Blanche, la grondait amicalement s'il lui trouvait les yeux rougis par l'insomnie ou par les pleurs. Puis, après un déjeuner frugal, il s'occupait du jardin.

Une servante unique avait remplacé chez le comte cinq ou six domestiques. Dès que la maisonnette était en ordre, Paul et Blanche, dans deux pièces contiguës, séparées seulement par une porte ouverte où flottait un lambeau de vieille tapisserie de Beauvais, essayaient de s'intéresser à quelque travail. Paul s'occupait des livres en petit nombre dont il n'avait pas consenti à se séparer,

Blanche brodait ou le plus souvent raccommodait elle-même le linge de la famille. Le soir, la musique rapprochait aussi les deux époux, qui s'étaient ordonné à eux-mêmes de faire face à la vie en braves, et de ne point s'assassiner mutuellement de leur douleur.

Mais, n'ayant plus de chevaux, Paul n'avait pas moins besoin d'exercice, et même d'exercices violents, pour conserver sa santé, altérée par les épreuves. Il s'imposait pour ainsi dire des marches forcées. Blanche était la première à l'y engager, quand il les oubliait, bien qu'elle fût portée à mesurer, par un reste d'inquiétude jalouse, les heures que son mari passait dehors. Mais les heures de ces absences n'étaient pas fixes. Il n'y avait donc point de convention entre la mystérieuse inconnue et lui. Blanche évita longtemps de revenir, avec Paul, sur les causes de sa ruine, parce qu'elle sentait que son mari était humilié d'avoir perdu sa fortune. Jamais elle ne s'était beaucoup occupée des questions d'argent. Cette négligence est assez fréquente chez les femmes nées au milieu du luxe, et qui ont pour mari un homme incapable d'aventurer le commun patrimoine. Cependant la question devait renaître, surtout depuis que Paul et Blanche faisaient ensemble assaut d'économie.

—Vous saurez une fois, ma chère amie, dit Paul, comment un désastre financier est venu s'ajouter à nos autres désastres; mais je vous demande en grâce la permission de choisir l'heure de cette confession. Qu'il vous suffise de savoir positivement qu'elle vous sera faite. Reconnaissez qu'il me serait plus doux de m'exécuter sur ce point, si j'avais une fois réussi à réparer cette brèche. Eh bien! je ne veux pas encore désespérer.

Mais rien ne changeait dans le régime austère des deux reclus, et, quoique certaines amitiés anciennes leur fussent demeurées aussi fidèles rue de la Condamine que rue de Verneuil, quoique, tous les mardis et tous les jeudis, quelques voyageurs d'outre-Seine vinssent faire stopper leurs chevaux devant la petite grille de l'ermitage, la mélancolie de Paul semblait s'augmenter, et ses longues promenades hygiéniques devenaient plus rares.

La capitulation suprême semblait entrer peu à peu dans la pensée de ce Courageux champion. Il se plaignait par instants de palpitations violentes et prolongées, mais, sans consentir à voir aucun médecin.

Enfin, la maladie éclata.

Le docteur de la famille, Billardel, le fameux sceptique, habitué du café Procope, ancien convive de Paul et son contradicteur en matière de religion, de politique et d'économie sociale, fut appelé par Mme de Breuilly, qui avait autant de confiance dans l'amitié et dans l'habileté de l'homme que d'aversion pour ses opinions. Billardel inventa une maladie nerveuse sans gravité, ordonna des boulettes de mie de pain, sous des noms scientifiques; mais il dit à la comtesse, en sortant:

—M. de Breuilly n'a qu'un seul mal, dont je ne guéris, il est vrai personne: il meurt de chagrin.

—De quel chagrin? demanda vivement Blanche.

—Cherchez, madame! vous trouverez peut-être. Les femmes s'y entendent mieux que les médecins.

—A son âge, ce ne serait pas?...

—Pourquoi non? riposta Billardel. Il n'y a pas d'âge pour cela!

Retirée dans sa chambre, Blanche se prit la tête à deux mains, demandant Un miracle à Dieu.
Mais elle ne pouvait exiger de Dieu qu'il lui donnât, à son âge, un troisième enfant, ni qu'il fit trouver à la femme légitime sa rivale aimable.

Cependant, en retournant auprès de Paul, Blanche lui dit avec la résignation d'une martyre:

—Vous êtes triste, mon bon ami, accablé, ennuyé surtout. Je ne suffis pas pour vous distraire. Le docteur veut absolument pour vous de la distraction. Y aurait-il quelqu'un dont la société vous amuserait?

Paul regarda fixement Mme de Breuilly et ne répondit rien d'abord. Puis il parla:

—Tant de générosité, dit-il, ne restera pas sans récompense. Oui, il y a quelqu'un que j'aimerais à voir. Mais ce quelqu'un, tu ne le connais pas.

—Comment ne me l'avez-vous pas présenté?

—Ce quelqu'un...

Mais il n'acheva point, et sa tête s'inclina sur sa poitrine.

—Est-ce un homme ou une femme?

—Ne me demande rien, Blanche.

—Mais encore...

Paul ne sortit point de son mutisme. Il sembla à sa femme qu'il étouffait, car il rougit excessivement.

Il étendit la main, comme s'il cherchait un breuvage. Blanche lui tendit un verre d'eau sucrée placé sur un guéridon à quelques pas de lui.

—Puisque vous ne pouvez me parler de cela, je vais, dit Blanche dès qu'elle vit son mari plus calme, je vais vous donner un exemple que vous suivrez certainement, car l'aveu à vous faire me coûte probablement encore plus que l'aveu que je vous demande.

Paul tressaillit et sembla se ranimer tout à fait.

—Il y a, reprit Mme de Breuilly, dix jours que vous gardez la chambre. Le cinquième jour, on frappa timidement à la porte du vestibule. Par un coup d'oeil jeté vers la grille, je m'aperçus qu'elle n'était pas fermée. Annette, notre unique servante était sans doute sortie pour un instant. J'ouvris la porte du vestibule, et une dame voilée parut devant moi. Elle paraissait fort troublée.

—Que souhaitez-vous, madame? Lui demandai-je.

—Mon mari, n'ayant pas vu M. de Breuilly depuis quelques jours, m'a chargée de prendre de ses nouvelles.

—A qui ai-je l'honneur de parler, madame?

Pour toute réponse, la dame voilée me tendit une carte écrite à la main sur laquelle je lus: Laure Widmer.

—Mon mari, lui dis-je alors, est plutôt indisposé que malade. Il ne saurait vous recevoir, il repose en ce moment. Je mentais, mon cher Paul! J'avais pour excuse d'avoir déjà reconnu sous son voile la dame ... du bois de Boulogne!

V

A cet aveu de Blanche, un pli soucieux crispa le front et les lèvres du malade. Mais Blanche continua:

—Je mentais! je promis à la dame de vous remettre sa carte, et j'étais résolue déjà à ne point le faire. Quelle était ma pensée? Celle d'écarter de la voie douloureuse où je marche, une pierre de plus... Je cédais à mon aversion instinctive de femme pour une autre femme, plus jeune, plus belle et qui me paraissait vous aimer... Pour abréger, et sans offrir à la dame d'entrer, ce qui était peu courtois, je dis à l'inconnue que votre première sortie serait pour rendre à son mari cette visite, et je la congédiai. Par bonheur pour le succès de mon mensonge, Annette ne rentra que lorsque la visiteuse était déjà loin. Voilà mon péché, sans réticence aucune. Et maintenant, la dame du Bois, la dame au voile qui se dit être Laure Widmer, est peut-être justement la personne dont l'absence vous cause tant d'ennui, et que vous souhaiteriez voir auprès de vous. Dois-je, en expiation de ma faute, aller la chercher?

—Vous n'avez pas conservé cette carte? demanda Paul, dont les mains se tordaient avec une agitation fiévreuse.

—Je l'ai brûlée sur-le-champ! Répliqua Blanche sans hésiter.

—Voici, dit alors le comte après une méditation douloureuse: j'ai à choisir entre de nouvelles réticences vis-à-vis de vous (je ne dis pas mensonges, car je n'ai pas conscience de vous avoir jamais menti!) et le récit complet d'une chose que mon orgueil et le respect de vos sentiments pour moi m'engageaient à ne point vous faire. Avant de vous initier à des circonstances de moins d'intérêt pour vous que vous ne l'imaginez, je voudrais avoir terminé une oeuvre entreprise dans un but qui m'honore, veuillez le croire. Eh bien! voulez-vous me faire encore quelques mois de crédit? Je laisse cela à votre entière discrétion. Parlez! Quant à aller chercher Laure Widmer, je vous en dispense. Je la verrai, quand je serai en état de sortir. En attendant, je vais lui adresser quelques lignes que vous lirez, et que vous ne ferez jeter à la poste que si vous en approuvez la teneur.

—J'attendrai le temps qu'il vous plaira, mon ami; et je mettrai moi-même votre lettre à la poste sans l'avoir lue.

—J'exige que vous la lisiez!

Paul parlait très fermement.

—Je vous obéirai, répliqua Mme de Breuilly en baissant la tête.

—C'est bien, dit le comte, en congédiant sa femme d'un geste un peu impatient.

Elle se retira sans ajouter un mot.

Paul, sans plus attendre, se mit à son bureau et, écrivit, non pas comme les comédiens écrivent ou feignent d'écrire quand ils sont en scène, mais avec une difficulté extrême, cherchant et ne trouvant pas ses mots.

Enfin, après une série de projets, raturés les uns après les autres, il parut s'arrêter à une rédaction, qu'il relut plusieurs fois avant de l'adopter définitivement.

Sur ces entrefaites, Hercule de Charaintru, qui n'avait pas abandonné non plus les exilés de Batignolles, arriva rue de la Condamine avec son habituel et si merveilleux à-propos.

Il fut reçu d'abord par Mme de Breuilly, beaucoup trop troublée pour bénir l'arrivée du personnage en pareil moment.

—Cette fois, dit-il, ayant une lieue de poste à courir pour visiter mes amis, je me suis botté et éperonné comme vous voyez, et j'ai fait l'étape sur mon poney, au lieu de me voiturer en coupé. Il est délicieux, ce petit cheval-là, et je ne l'ai pas payé trop cher à votre mari.

—Vous auriez pu le faire entrer dans la cour, dit Blanche.

—Ah! mon groom est resté à la porte avec les deux chevaux. Puis-je être admis à l'honneur de visiter notre savant dans le sanctuaire de ses livres?

Et sans attendre la réponse de Blanche, il se dirigea vers le cabinet De son ami. C'est à regret que Paul, ayant reconnu sa voix, lui cria d'entrer.

—Mon excellent ami, dit Hercule, je vous dérange évidemment; mais je tenais à vous faire les remerciements que je vous dois, tant pour le cheval que pour une affaire plus grave, vous savez?

—Bonjour, Charaintru. Entrez donc, je suis enchanté de vous voir.

—Ce que vous faites là est donc d'une gaieté médiocre, puisque c'est encore moins amusant que moi?

—Très médiocre, mais il y a sur la terre où nous sommes des obligations de force majeure, et dame...

—D'abord, il y a les obligations d'Orléans...

—Vous en avez? Vous êtes bien heureux...

—J'en ai, parce que je viens d'en acheter, quoiqu'elles ne soient pas à bas prix; mais, après avoir été remboursé par Berwick de mes 150,000 francs, suivant votre prophétie, et m'étant tâté depuis lors pour trouver un bon emploi, je ne me suis décidé qu'hier à celui-ci, et je vous en apportais la nouvelle.

—Vous mettez du temps à réfléchir, mon cher; car ce remboursement remonte, je crois, à l'époque de mon déménagement?

Charaintru, en rentrant chez son ami, avait naturellement, par égard pour Blanche, laissé la porte du salon ouverte, en sorte que Mme de Breuilly était en tiers, sans le vouloir positivement, dans cette conversation. Elle ne put rien perdre, quand même elle l'aurait souhaité, du bavardage d'Hercule qui, s'étant offert un siège à lui-même en se mettant à cheval sur une chaise, continua de son ton de fausset:

—Vous aviez dit vrai, et il paraît que le banquier en question a trouvé à temps de quoi payer ses chevaux neufs et son landau bleu. Son aimable femme a pu continuer à fréquenter le bois dans ce gracieux équipage et en dépit des médisances, ni madame Berwick, ni la caisse de monsieur Berwick n'ont perdu leur réputation. On prête à une amitié désintéressée; cette réouverture du Pactole....

Paul regardait fixement Charaintru, et son regard sévère conviait vainement Hercule à s'arrêter.

—Est-ce par ironie ou par conviction, lui demanda-t-il enfin, que vous parlez d'une amitié désintéressée?

—Moi, répliqua Charaintru, je nie les immolations absolues. Ne fût-ce que par un sourire, une jolie femme sait toujours reconnaître les services qu'on lui rend, et...

Ici la voix de Mme de Breuilly se fit entendre pour dire d'un ton sardonique:

—N'est-ce pas un peu cher, un sourire de cent cinquante mille francs?

—Il y a des sourires que l'on ne saurait payer, dit courtoisement Charaintru, en revenant vers la porte du cabinet, devant laquelle Blanche, debout, semblait plus occupée d'un écheveau de soie qu'elle dénouait, que du fil de cette causerie.
—Bref, dit Paul avec brusquerie, on veut que madame Berwick ait procuré à son mari, par ses beaux yeux, les fonds qui manquaient à la caisse du banquier? Et va-t-on jusqu'à nommer l'auteur de ce libre échange?

—On va jusque-là, mais avec des noms si invraisemblables que des paris se sont ouverts. D'abord, on ne voit jamais ni Berwick ni aucun de ses amis dans le landau bleu; ensuite, les gens qui fréquentent cette maison sont généralement des ganaches; non qu'il n'y ait, par le monde, beaucoup de ganaches parmi les soupirants d'amour, mais enfin, il y a de ces ganaches qui sont au-dessus et au-dessous du soupçon! A défaut d'un jeune premier en rage de se ruiner, il faudrait un vieux beau en rupture de ban conjugal. Les vieux beaux sont quelquefois très généreux...

—Ah ça! interrompit M. de Breuilly, est-ce pour nous raconter ces hypothèses outrageantes pour une femme qui n'a jamais fait parler d'elle, que vous êtes venu en poste de la rue d'Anjou à la rue de la Condamine?

Paul était d'autant plus impatient de clore l'incident, que Blanche paraissait plus pâle et plus troublée depuis que Charaintru avait pris la parole.

—Non, répliqua Charaintru; je voulais aussi reconnaître le service si grand que vous m'avez rendu, en vous donnant à mon tour un conseil pour rétablir votre fortune.

—Ah! parlez! dit Blanche, cela ne serait pas de refus. Si ce conseil est bon, je vous remets tous vos petits péchés.

—Voici! dit Hercule. Berwick monte une affaire dans laquelle je serai compris; il serait aisé sans doute à Paul de s'y faire comprendre. Une affaire de la force de vingt mille chevaux: la concession des fumiers de la ville de Paris!

—Je suis bien revenu des affaires, dit M. de Breuilly en souriant tristement, et il me serait d'autant plus difficile de souscrire à aucune, que le peu qui me reste ne m'appartient pas.

—Si vous avez de ces scrupules, repartit Hercule, madame pourrait ne pas les avoir, et je suis sûr qu'avec ses capitaux personnels, elle serait ravie de vous enrichir.

—Mon ami, dit froidement M. de Breuilly, ces distinctions sont hors de saison chez nous. Il ne faut parler ni de corde dans la maison d'un pendu, ni de spéculation dans la maison d'un homme ruiné. D'ailleurs, en me mêlant des entreprises de votre banquier, je craindrais à juste raison d'être considéré par les vipères de vos amis, comme «un vieux beau» en quête d'un sourire de Madame Berwick, et je serais désolé de compromettre en rien son honneur. Brisons donc là et, si les fleurs de notre jardin sont dignes d'un regard de vous, priez madame de vous les montrer, tandis que j'achève une lettre pressante.

Cette lettre, si malencontreusement interrompue par la visite du petit vicomte, était définitivement ainsi conçue:

«Madame,

«Madame de Breuilly m'a fait part d'une démarche obligeante que vous avez faite au cours de mon indisposition, de la part de votre mari et de la vôtre, pour prendre des nouvelles de ma santé.

«J'ai différé de jour en jour l'expression de ma gratitude, espérant me trouver assez rétabli pour vous la porter moi-même. Malheureusement il n'en est rien encore.

«Dès que je le pourrai, je prendrai, en allant vous visiter, la liberté de vous présenter madame de Breuilly, flattée de connaître personnellement une famille dont les ascendants firent à ma première jeunesse un aimable accueil lorsque je visitais l'Allemagne.

«Daignez, je vous prie, madame, agréer, etc.

«PAUL DE BREUILLY.»

A la suite de la visite de Charaintru, M. de Breuilly présenta gracieusement à sa femme une enveloppe à l'adresse de Mme Laure Widmer. Non moins gracieusement, Blanche la rendit à son mari, sans l'avoir ouverte.

—Vous oubliez nos conventions, lui dit-il.

—Soit, dit Mme de Breuilly en s'exécutant.

Et elle ajouta en riant: Je vais même la clore pour plus de sûreté. Alors, elle mouilla la gomme de l'enveloppe, la posa sur le marbre de la cheminée et elle retourna paisiblement à sa broderie.

A compter de ce moment, la pensée de Paul sembla se rasséréner; sa santé en éprouva le contre-coup favorable, et peu de temps après il était en pleine convalescence.

VI

Un matin de printemps de l'année 1873, Paul de Breuilly, habitant alors la rue de Verneuil, arpentait, à dix heures du matin, la contre-allée de l'avenue Gabrielle aux Champs-Elysées. Le temps était gris et douteux, contrastant avec les primeurs de la végétation parisienne, souvent surprise en pleine éclosion par des avalanches de neige. Les piétons et les cavaliers étaient si rares que le comte, par moments, aurait pu se croire dans une ville morte. Il marchait pour marcher. Les grandes douleurs ont souvent de ces besoins et de ces fantaisies gymnastiques. Comme il allait, sans but déterminé, devant lui, se tenant droit et cambrant son parapluie sous son bras d'un air qu'il voulait rendre dispos, il se trouva face à face avec une jeune femme, mince et blonde et, malgré la discrétion d'un voile brun, assez visiblement jolie pour rendre Paul attentif à ses traits.

Mais elle ne se bornait point à être jolie. M. de Breuilly, en l'examinant, lui trouva une ressemblance qui l'intrigua, l'émut; et s'il n'avait pas été un homme déjà mûr, à qui ces caprices ne sont plus permis, il se serait attaché aux pas de l'inconnue.

A part l'instant si court où les yeux de l'un et de l'autre se rencontrèrent et se confondirent, la jeune personne marchait l'oeil en terre, et l'élégante simplicité de sa mise et de sa tournure faisait écarter de prime abord toute idée d'intrigue vulgaire.

Elle tenait dans sa petite main gantée de suède un mouchoir brodé; sous le regard du passant, elle raffermit sa marche, cacha son mouchoir et accéléra le pas, en baissant les yeux, qu'elle avait fort grands.

Paul fut frappé de cette rencontre, sans s'expliquer pourquoi.

Il passa, s'efforçant de n'y plus penser.

Il ne put y parvenir. L'image s'était comme fixée dans sa mémoire; elle Eclipsait le reste, comme ce disque fauve qui persiste dans notre œil fermé, après que nous avons considéré le soleil.

Paul avança jusqu'à l'embouchure de la rue de Ponthieu, puis il revint sur ses pas. A la hauteur de la grille de l'ambassade anglaise, il se trouva vis-à-vis de la jeune dame, revenant, elle aussi, en sens opposé.

Les deux promeneurs, surpris de leur double rencontre, allaient se perdre de vue, quand Paul remarqua, à vingt pas derrière la dame, le mouchoir brodé qu'il avait vu à la main de la dame une première fois. Il alla le ramasser, sans rien dire, puis, hâtant le pas, il rejoignit la promeneuse et le lui offrit en se découvrant.

—Ce mouchoir marqué L. B. est-il à vous, madame? demanda-t-il d'un ton respectueux.

La jeune femme reconnut le mouchoir, le prit vivement et balbutia un Remerciement plein de confusion.
—Vous vous appelez Léontine, Louise ou Laure? ajouta galamment M. de Breuilly désireux de prolonger la conversation.
—Je m'appelle Laure en effet ... mais peu importe!

Elle salua de la tête et allait fuir.

—Non! reprit le comte, vous êtes moins pressée de partir qu'il ne vous convient de le paraître! Un sentiment que nous ne nous expliquons pas nous a fait l'un et l'autre revenir sur nos pas... Il y a entre nous un air de famille extraordinaire, convenez-en! Il est impossible que vous n'en ayez pas été frappée comme moi. A votre âge, vous pourriez être ma fille, et vous ne me prenez pas, je l'espère, pour un de ces malotrus qui abordent sans cause une dame dans la rue!

—J'avoue, monsieur, avoir été frappée comme vous de cet air de famille dont vous parlez; mais comment rendrais-je excusable pour l'oeil du monde la folie que j'aurais de causer plus longtemps avec vous? Vous-même, vous vous méprendriez sur ce que je suis...

Elle hésita un instant, puis, cédant à une curiosité dont elle ne fut pas maîtresse:

—Mais à qui ai-je honneur de parler? demanda la jeune femme.

Paul se nomma sur-le-champ. Son interlocutrice changea de couleur.

—Consentiriez-vous à être présenté à mon mari? demanda-t-elle à brûle-pour-point.

—Sans doute, madame, répondit le gentilhomme, qui ne désirait rien de plus que de rendre nette cette situation étrange.

—Vous avez sans doute rencontré autrefois une famille de Lussan?

Ce fut au tour de Paul de se troubler.

—Vous auriez connu ... Charlotte? fit-il en pâlissant?

—J'ai été élevée, répondit-elle, en face de votre portrait.

—Comment donc, de prime abord, ne m'avez-vous pas reconnu?

—Qui vous dit, au contraire, que telle n'ait pas été ma première pensée?

—Mais, qui êtes-vous, madame, par rapport à Mme de Lussan?

—Sa petite-fille!

—Et votre mère?

—Écoutez, monsieur de Breuilly; vous savez comment les de Lussan se trouvaient en Saxe depuis 1832? A la suite des événements de la duchesse de Berry, étant du nombre des familles françaises compromises dans cette insurrection, la famille de Lussan émigra et s'établit à Dresde. M. et Mme de Lussan, mes grands parents, y devinrent le centre d'une autre et Plus ancienne émigration datant de la révocation de l'édit de Nantes. Leur fille, Charlotte, était âgée de huit ans. Elle avait dix-huit ans en 1842, quand elle se maria...

—Passons! interrompit le comte de Breuilly en faisant le geste d'écarter un nuage appesanti sur son front.

—De cette union naquit en 1843 une petite fille Laure, que vous avez devant vous...

—Vous vous appelez Laure ... Widmer! demanda le comte très bas et comme si ce nom de Widmer lui serrait la gorge.

—C'est ce nom que j'ai porté jusqu'au jour de mon propre mariage avec M. Berwick, à qui j'aurai le plaisir de vous présenter.

—Mais votre mère, Charlotte de Lussan?

—A rendu son âme à Dieu, en 1846, trois ans après m'avoir mis au monde. Vous l'ignoriez?

—Hélas! murmura Paul en creusant le sable de l'allée du bout de son parapluie, elle est morte sans que je l'aie revue!

—Elle est morte veuve....

—Elle a été libre? s'écria Paul dont les yeux s'humectèrent.

Il y avait un banc à quelques pas de l'endroit où Laure et le comte causaient debout. Il s'approcha du banc et y tomba plutôt qu'il ne s'y assit.

—Votre place est là! dit-il à la jeune femme après cinq minutes d'accablement, ici, à ma gauche, Laure, près de ce coeur dont vous venez de rouvrir les blessures!

—Monsieur, repartit Laure, interdite, nous sommes ici en public. Nous ne sommes pas censés nous connaître, et....

—Ne pas nous connaître! La fille de Charlotte et moi! Mais vous me rappelez, mon enfant, aux réalités présentes. Je ne vous avais jamais vue, puisque vous n'étiez pas encore de ce monde, quand j'étais à Dresde et qu'un drame ignoré de vous, j'espère.... Enfin, Charlotte a pu me croire mort! Elle vous a pourtant légué quelque sympathie pour mon souvenir, puisque mon portrait, conservé par elle, a été longtemps conservé par vous?

—Un jour d'égarement n'est pas un crime?

—Ah! vous saviez?... J'aurais dû mourir alors!

Sans prolonger l'entretien, Paul se leva en s'excusant d'être demeuré assis un instant devant Mme Berwick. Puis, se découvrant, il fit à la jeune femme un salut profond.

—J'espère, madame, vous revoir avant longtemps.

—Rue d'Anjou-Saint-Honoré. n° 19, répondit Laure en rendant son salut à Paul.

Paul se rassit dès que Laure se fut éloignée, et, les yeux fixés sur l'empreinte des petites bottines de la fille de Charlotte dans la terre humide, il revécut en une demi-heure toutes les émotions de sa vie passée.

Enfin, il se leva avec effort pour retourner chez lui.

—Morte veuve, un an après mon mariage!... répétait-il par instants. Elle m'attendit peut-être! Elle ne serait pas morte si elle avait appris que je vivais encore!... Oui, décidément, le suicide est un crime. Si je n'avais subi le coupable entraînement de Werther, épris d'une autre Charlotte, si je n'avais pas voulu venger sur moi-même l'union conclue entre ma Charlotte et ce Widmer, mon rival n'en serait pas moins mort quelques années après, et au lieu d'un souvenir de sang, j'aurais laissé à ma bien-aimée un souvenir aimable; elle aurait gardé cette foi qui fait vivre. Nous nous serions cherchés et retrouvés aisément sans doute, et notre bonheur à deux, couronnant ma patience, aurait prolongé ses jours! Et aujourd'hui je retrouve cette enfant qui me semble tout moi, ou plutôt un mélange de mes traits et des traits de sa pauvre mère! Elle a mon profil et ses yeux?... J'ai perdu les autres! celui-là seul me reste. Ah! comme je vais l'aimer, cette Laure, cette épave de ma jeunesse! L'aimer, et la pauvre Blanche que dira-t-elle?... Mon devoir impérieux est de me taire, car Blanche ne pourra aimer Laure!

M. de Breuilly était visiblement agité en rentrant rue de Verneuil, et bien qu'il se contînt en face de Blanche, à l'animation de ses yeux, sa femme imagina aisément qu'il avait fait une rencontre extraordinaire. Mais il ne répondit point aux questions que Blanche lui adressait au sujet de sa promenade, et Paul rentra peu à peu dans l'apparente monotonie de ses pensées et de ses occupations.

Dans les jours qui suivirent, il reçut une lettre de Gustave Mayran, datée de Tarbes. M. Mayran, général de brigade, entretenait son ancien compagnon d'armes du désir qu'il éprouvait de se rapprocher de Paris et des difficultés de ce changement. Il priait Paul, qui avait conservé dans l'armée de vieilles amitiés, de s'occuper de lui.

Paul et Gustave avaient servi ensemble en Algérie, sous le maréchal Bugeaud, et Blanche salua avec joie le changement que ces réminiscences apporteraient au cours des idées de son mari.

Elle-même se souvenait avec plaisir que, n'étant pas encore mariée, elle avait suivi, de loin, avec un anxieux intérêt, le jeune militaire dans ses campagnes.

Paul de Breuilly était sous les ordres du colonel de Montagnac, qui périt en héros à Sidi-Ibrahim, avec la plupart de ses compagnons. Il fut de ces quatre-vingt-trois hommes qui, bloqués par les Arabes dans un marabout, y épuisèrent leurs vivres et leurs munitions, et, après trois jours de lutte désespérée, tentèrent une trouée à la baïonnette.

Paul fut un des treize qui parvinrent seuls à se sauver. Après un pareil
Fait d'armes, il fut décoré.
Il continua à se distinguer dans les rangs des colonnes conduites par les
Généraux Bedeau, de Mac-Mahon et Lamoricière.
Après la défaite d'Abd-el-Kader, Paul, devenu lieutenant, fut désigné pour faire partie de l'escorte de l'émir prisonnier, envoyé à Djemma-Gazahouat.

La conquête de l'Algérie une fois terminée, Paul de Breuilly demanda son changement, et il débarquait à Toulon, le 29 décembre 1847, en même temps que l'émir prisonnier.

Ce fut une grande joie pour Blanche que de revoir en congé ce jeune
Lieutenant échappé à tant de périls.
Paul de Breuilly servit jusqu'à la fin de la guerre de Crimée et se retira avec le grade de capitaine.

Il s'était marié dans l'intervalle, en 1850, et il était père de
François, né en 1851.
Ces souvenirs animèrent pendant quelques jours la solitude de la rue de Verneuil sans faire oublier sa rencontre avec Laure Widmer.

VII

Ainsi s'ouvrit, du printemps 1873 jusque vers le milieu de l'année 1874, cette ère singulière pour un homme de l'humeur de Paul, d'une vie morale en partie double.

Chez lui, il était le mari qui console sa femme et qui pleure avec elle ses enfants. Hors de chez lui, il était l'amant, vivant du souvenir de sa maîtresse et la retrouvant dans une fille, dont les beaux yeux le rattachaient à l'existence.

Il se fit présenter, en effet, peu de jours après la rencontre aux Champs-Elysées, à ce Berwick, le petit noir, comme Charaintru l'appela plus tard, et qui n'était autre qu'un juif allemand de la plus belle eau.

Paul tomba des nues en l'apercevant, tant le financier cynique était caractérisé par la physionomie, le geste, l'accent grasseyant de ce Gobseck bavarois. Trop âgé pour sa femme, Berwick appartenait à la secte Des ramoneurs. D'une mèche de cheveux abondante, ingénieusement détournée de sa destination primitive, qui était de garnir l'occiput, il se faisait, à l'aide de son coiffeur et de beaucoup de pommade, un toupet tout entier. Cette mèche providentielle revenait par devant couper, d'un bandeau noir de jais, un front déjà trop bas et qui faisait songer aux batraciens. L'oeil bouffi et protubérant appartenait bien à cette dernière espèce. Comme les Tartares, Berwick devait voir derrière lui, sans tourner la tête. Son menton exprimait la brutalité, comme son nez pointu marquait une finesse de renard. Il avait les doigts carrés, les mains courtes et velues.

Paul regarda tour à tour Laure et Berwick, et il comprit que l'orpheline était tombée dans un piège et avait été sacrifiée à quelque spéculation; mais il ne pouvait s'en expliquer avec elle.

Quant à Berwick, il ne vit dans la connaissance inattendue que Laure lui Faisait faire, que la pêche miraculeuse d'un client. Le jour où Paul franchit le seuil de cette demeure, la maison Berwick savait que M. de Breuilly était riche, et que le moyen probable de le faire financer était de jouer de la flûte des souvenirs. Berwick ne savait pas et ne pouvait savoir qu'une vingtaine d'années auparavant un monsieur français avait tenté de se suicider par amour pour sa belle-mère, Charlotte Widmer, que lui, Berwick, n'avait jamais connue.

Mais de prime abord la cicatrice formidable que Paul avait au menton, puisque la balle d'un pistolet lui avait brisé la mâchoire, intrigua vivement le banquier. Il questionna sa femme. Celle-ci ne savait rien, sinon que peut-être un duel de jeunesse avait provoqué l'accident; elle ne pouvait en assigner la date.

Le portrait de M. de Breuilly, que Laure conservait toujours, ne mentionnait pas cette cicatrice; mais enfin ce Paul, qui était riche, qui avait été militaire, devait avoir la tête chaude, un caractère violent, sous les dehors d'un homme très bien élevé, Il fallait le ménager, ne l'irriter en rien. Telle fut l'opinion de Berwick.

De son côté, Paul se fit de bois vis-à-vis d'un homme qui lui était antipathique; car il était résolu à se lier intimement avec Laure à tout prix. Il parvint même, en quelques semaines, à faire croire à Berwick que ses discours sur les opérations de Bourse l'intéressaient infiniment.

Mais Berwick n'était pas toujours là: il n'y était même presque jamais, car il ne trônait au salon que les soirs. Et quand Paul pouvait se rendre rue d'Anjou Saint-Honoré, n° 19, c'était justement à l'heure où, dans un entresol de la rue Le Peletier, Berwick dépouillait ses carnets et faisait son courrier. Laure était grande musicienne, et Paul bon violoniste. Tous deux passaient chaque jour quelques instants délicieux.

Lorsque Paul prenait congé de Laure pour retourner rue de Verneuil, l'image de la jeune femme l'y suivait, tout comme celle de Charlotte l'avait suivi autrefois de Dresde à Freyberg, quand il retournait dans cette dernière ville pour y continuer ses études scientifiques.

La musique qu'il venait de faire avec Laure et qui remplissait encore ses Oreilles tout le long du chemin, était justement celle que Charlotte et lui retrouvaient jadis sous leurs doigts, dans les soirées fréquentes qu'ils passaient ensemble.

Cette musique fût longtemps le seul langage qu'en présence de Widmer se Permit leur amour, car Paul respectait le toit conjugal autant que Charlotte le respectait elle-même. Mais un jour vint où, dans un moment d'égarement et de passion, Charlotte oublia qu'elle était épouse. Elle devint enceinte. Épouvantée, comprenant enfin l'étendue de sa faute, elle conjura son amant de partir et de l'oublier.

Voyant toutes ses supplications se briser devant l'inflexible résolution de Charlotte, fou de désespoir, Paul crut alors se rendre à lui-même une cruelle justice en tentant de se supprimer.

Ainsi ramené, à tant d'années de distance, aux émotions d'alors, M. de Breuilly retrouvait, toutes les émotions qu'il avait traversées à vingt ans, et condamnait tous les raisonnements qu'il s'était faits pour en arriver à se brûler la cervelle. Le nouveau Werther, plus ou moins fasciné par l'exemple de l'ancien, était tombé dans son sang, mais il n'était pas parvenu à se tuer. Après une longue maladie, pendant laquelle son état de faiblesse avait fait désespérer de sa raison, emmené dans les Alpes, au canton de Schwitz, il y demeura au village d'Einsiedeln, en face du couvent célèbre de ce nom. C'est là que la solitude et l'amitié des Bénédictins rendirent un peu de calme à son âme en révolte, et il reprit, un beau jour, le chemin de la France, de Paris, du foyer paternel.

Il crut expier la lâcheté de son suicide en se faisant soldat. La campagne d'Algérie offrit à son impatience l'occasion de se distinguer et des actions d'éclat, pour lesquelles il fut mis à l'ordre du jour de son régiment, l'une lui valut la croix de la Légion d'honneur, et l'autre sa première épaulette.

Le mariage de Paul et de Blanche éprouva d'abord quelques difficultés.

Dès longtemps rapprochées par l'amitié, les deux familles avaient de tout temps rêvé cette union. De tout temps aussi Blanche en avait caressé le projet. Petite fille, elle avait appelé Paul son mari, mais au retour d'Allemagne, elle vit bien que l'âme de Paul était ailleurs.

L'attention distraite qu'il accordait à la jeune fille irrita l'inclination de cette dernière au lieu de l'amortir. Le culte de Blanche redoubla de ferveur quand elle vit Paul en uniforme.

Sous différents prétextes, Paul ajourna longtemps cette union; mais il n'avouait point la cause réelle et même il ne l'articula jamais devant personne. Enfin, il céda, lorsqu'il se crut assuré de pouvoir faire honneur à un engagement, qui était celui de rendre Blanche heureuse.

En 1873, tout avait bien changé. Ce n'était pas de la science qu'elle était jalouse, et ce n'était plus des hasards de la guerre qu'elle était inquiète.

Elle était inquiète et jalouse d'une rivale dont elle supposait l'existence, mais qu'à vrai dire elle ne connaissait pas.

De son côté, Paul évita d'abord de porter devant Laure Berwick aucun Jugement sur son mari; mais ce fut elle qui se plaignit d'avoir été sacrifiée par son tuteur à des convenances purement matérielles.

Bien loin d'exciter ses plaintes, Paul cherchait à les apaiser.

—Toutes les jeunes filles, disait-il, se forgent un idéal de félicité, comme si la vie réelle tenait en réserve pour tous les oiseaux un nid environné de fleurs et doublé de soie et de mousse. Il faut en rabattre et consentir à ce que les hommes ne soient pas des anges.

—Sans être des anges, répliquait Laure, ils pourraient ne pas être des démons.

—L'incompatibilité d'humeur exagère des griefs insignifiants. Mais, quand les années ont passé sur certains froissements, l'habitude les émousse. On découvre le pouvoir de la patience, et la forme cesse de l'emporter sur le fond.

—Excepté, ripostait Laure, quand la forme est brutale et que le fonds est mauvais. D'ailleurs, je ne saurais supporter certains outrages! Le luxe apparent dans lequel M. Berwick me fait vivre ne peut me cacher les moyens qu'il emploie pour le faire durer. Sachez, mon ami, qu'il a été souvent à deux doigts de sa perte. Mieux vaut mille fois un bon juif qu'un juif prétendu converti. J'ai remarqué que ces modernisés n'ont ni les vertus de notre monde, quoiqu'ils s'y rattachent, ni les talents spéciaux de la race qu'ils ont reniée. Un franc israélite thésaurise et fait fortune; un faux israélite spécule et se ruine. Considérez bien les choses et vous verrez cela partout.

Paul ne se paya pas de ces raison. Il voulut mettre sur le compte des vapeurs les mélancolies d'une épouse qui n'était pas mère, et plus il haïssait Berwick, plus il s'attacha à le bien pénétrer.

Il feignit même, devant Berwick, de trouver Mme Berwick fantasque, et
Comme rien ne facilite les affaires comme une intimité apparente,
Berwick, pour transformer Paul en bailleur de fonds, s'appliqua d'abord
à le transformer en intime ami.

Tandis que le gentilhomme et le banquier se livraient à ces travaux d'approche, mais sans qu'ils fussent encore couronnés de succès, il vint un jour où Laure éplorée s'écria, sans préambule, en voyant entrer chez elle M. de Breuilly:

—Mon ami, venez à mon aide! Sauvez-moi de lui!...

—Qu'y a-t-il donc de nouveau? Demanda Paul.

—Je ne puis vous le dire!

Et la jeune femme se jeta, sans rien ajouter, dans les bras de son père.

Quand elle eut pleuré longtemps:

—J'avais cru, reprit-elle assise à ses côtés, j'avais cru, en vous retrouvant, retrouver le bonheur: je m'arrangeais déjà pour en jouir, pour le rendre éternel! J'étais, en espérance, délivrée de mes heures mortelles, les heures de quatre à six où M. Berwick est partout, excepté chez lui, mais sur le point de rentrer. Je me disais: Dans les courts jours d'hiver, je sortirai avec mon père, en voiture, et nous irons à travers le bois désert ou à travers les rues remplies de boutiques et de monde, regardant, causant, voyant sans être vus...

—Oui, c'est charmant, tout cela, répliqua Paul amèrement, mais ma femme, mais votre mari seront-ils obligés de comprendre que M. de Breuilly est le père d'une femme de trente ans, dont la mère chérie par lui n'a jamais été pourtant sa femme?

—Que vole-t-on aux autres quand on ne leur prend rien?

—Mais votre mari aura le droit de penser que notre intimité va plus loin.

—Il pensera ce qu'il voudra. Je connais ses relations avec des drôlesses, et si je suivais son exemple et même ses inspirations, il y a longtemps que ... mais il sera déçu aussi en cela, car je ne verrai et ne chercherai en vous que l'ami, que le père!

—Mais enfin, reprit M. de Breuilly, vous m'avez abordé en me disant: Sauvez-moi! De quoi parliez-vous?
—D'une chose tellement horrible que je ne trouve pas d'expression pour vous la dire? Dussiez-vous feindre et mentir, faites-le parler lui-même!

Après avoir songé profondément à ce que Laure lui demandait, Paul lui dit:

—Je crois savoir ce qu'il faut faire. De quelque temps, je vais feindre de ne plus m'occuper de vous. Par contre, je verrai de plus en plus votre mari, et, me croyant pris dans le filet des spéculations qu'il me propose, dussé-je m'associer en apparence jusqu'à ses plaisirs, je surprendrai sans doute le secret de ses desseins. Alors, je vous verrai, ou je vous écrirai, selon les cas, assuré que je suis d'avance que le secret sera gardé, où ma lettre lue et détruite entre le moment où vous sortirez de chez vous pour la lire et le moment où vous y rentrerez. Adieu donc, ou plutôt au revoir!

Mme Berwick lui répondit:

—Tout ce qu'il vous plaira. Je me fie à vous. Je n'espère qu'en vous!

Cette scène avait lieu dans l'été de 1874.

Laure fut plusieurs jours sans voir M. de Breuilly.

Après quatre heures, ne l'attendant plus, elle sortait en voiture.

Enfin, un jour, au moment précis où son landau émergeait de la porte cochère et où Laure était seule comme toujours, un pli cacheté vola de la main d'un passant inconnu sur les genoux de la jeune femme, et bien que l'écriture de la suscription lui fût inconnue, elle ne douta pas un instant de l'origine de cette lettre. Elle la cacha dans son sein et attendit d'être au Bois pour l'ouvrir.

VIII

Berwick revenait de la Bourse; il allait atteindre la maison de la rue Le Peletier, n° 5, dont l'entresol était occupé par ses bureaux, lorsqu'il rencontra M. de Breuilly.

Paul s'était présenté chez le banquier, il ne l'avait pas trouvé, mais comme il s'était mis en tête de le voir, il était sorti, préférant attendre son homme en se promenant dans la rue.

—Mon très cher comte, lui dit Berwick, en passant familièrement son bras sous le bras de Paul, vous exaucez le plus cher de mes voeux en venant me trouver. Avez-vous réfléchi à mes propositions? Vous réconciliez-vous un peu avec ces coquines d'affaires? Vous savez si j'ai de la prédilection pour vous; mais, à propos, passons donc la soirée ensemble! J'ai quelques signatures à donner, vous me ferez la faveur de m'attendre un instant. Vous dînez aujourd'hui au café Anglais avec moi. On ne vous voit plus à la maison. Je suis fin, moi, et j'ai très bien remarqué que vous êtes un peu en froid avec Mme Berwick. Mon Dieu, je ne vous en fais pas un reproche, je sais qu'elle est un peu fantasque. Je le regrette pour elle, car vous êtes un ami d'excellent conseil.

Tout en parlant, le banquier était entré dans son cabinet personnel par une porte particulière. Il avait offert un siège à son hôte, et il s'était enfoncé jusque sous les coudes dans un vaste fauteuil de cuir, il fit retentir un timbre. Des employés entrèrent portant des lettres et des effets à signer. Berwick lut avec méthode des paperasses couvertes de chiffres, et il se mit à abattre des signatures.

Tout à coup il se leva et dit à M. de Breuilly:

—Maintenant, je suis à vous.

Paul, résigné et résolu, envoya rue de Verneuil un exprès avertir Blanche qu'il ne rentrerait pas pour dîner, et les deux hommes traversèrent le boulevard des Italiens.

Berwick fit bien les choses. Il ne manqua rien à ce dîner pour porter Insensiblement les deux convives à ce degré où l'expansion est plus facile.

—Mais enfin vous êtes marié, monsieur le comte, demanda tout à coup le banquier, est-ce que nous n'aurons pas une belle fois l'honneur de connaître madame la comtesse.

Depuis notre deuil, monsieur Berwick, nous n'allons pas dans le monde; Ma femme vit dans la retraite, je ne saurais lui faire violence à cet égard.

—Il y a pourtant dans la vie conjugale, reprit Berwick, des situations de force majeure. Quand on occupe un certain rang dans le monde, on a des relations à soutenir. Qui quitte sa place la perd. Les hommes savent, mieux que les femmes, se conformer aux situations. Nos dames ont la prétention de nous gouverner un peu. C'est à se demander, quand on les voit si peu à la question, si elles sont positivement nos égales.

—Cela dépend de ce que vous entendez par là, monsieur Berwick; j'ai peut-être des idées un peu différentes, mais je vous ferai grâce de ma philosophie.

—Je ne suis pas philosophe, moi, monsieur le comte; je suis plutôt mécanicien. Tenez, le monde moral obéit, comme le monde matériel, aux lois de la statique et de la dynamique. Or, comme il est avéré que le vice inhérent à toutes les machines est la déperdition des forces par le frottement, il m'est avis que, dans la vie de famille, il convient de le supprimer quand on peut; alors ça marche tout seul.

—Ah! vous avez supprimé, les frottements dans la vie de famille?

—Permettez, répondit Berwick, je vais vous exposer cela très simplement. Moi, par exemple, j'ai épousé Laure Widmer, qui est une femme pétrie d'esprit, d'intelligence, etc., mais je ne vivrais pas avec elle dans une paix constante si je n'avais pris en tout la haute main.

—Et en quoi consiste cette haute main? demanda Paul d'un air intrigué.

—Mon Dieu! je répugnerais à parler de cela aussi crûment si j'étais un jeune marié... Pour éviter, toute discussion, je ne consulte jamais ma femme... Comme je tenais à ce qu'on ne me fît jamais aucune condition, j'ai commencé par ériger en principe que les délibérations seraient superflues.

—En tout?

—En tout.

—C'est là ce qu'on appelle subir l'amour sans le partager. Ce genre de passivité vous suffit?

—Le partager? Est-ce que nos femmes nous aiment? Et qu'est-ce, à proprement parler, qu'aimer?

—Cette question nous mènerait loin, monsieur Berwick, si j'essayais d'y répondre; mais là où l'amour n'existe point, je ne vois pas trop quel plaisir...

—Ah! un plaisir très borné, quand la fantaisie des personnes n'y mêle pas un peu d'imprévu! C'est comme le vin d'ordinaire qui, fût-il du bordeaux à huit francs, finit par faire regretter la piquette. J'avoue, du reste, que j'ai surtout eu besoin de toute mon autorité pour faire bonne figure vis-à-vis de la famille de ma femme, composée en grande partie de gens qui, à tort ou à raison, se croyaient le droit de me regarder de haut, parce que je suis un parvenu.

—Et alors, monsieur Berwick, vous avez un peu mis l'orgueil des Lussan à la raison?

—Oui et non! Je trouvais assez piquant de m'être adjoint une personne m'ayant sacrifié son origine nobiliaire. Elle subit d'ailleurs cette nécessité d'assez bonne grâce, mais ce n'est pas tout.

—Et que peut-il y avoir de plus?

—Eh bien! il y a eu pour moi des jours d'anxiété; car tout ne réussit pas quand on commence avec rien. Je pars d'un principe: dans mon opinion, les grâces de la femme doivent concourir à la fortune du mari. Ne vous cabrez pas! Deux époux sont deux associés; ne faut-il pas que chacun, dans la mesure de ses moyens, aide l'autre à arriver au but unique, la fortune? Pourquoi la femme profiterait-elle d'un bien-être acquis au prix des sueurs du mari exclusivement? Connaissez-vous une société dans laquelle les associés ne participent qu'aux profits sans avoir à supporter l'aléa des pertes? Dès l'instant que l'intérêt est commun, il ne convient pas que l'on puisse reprocher à l'autre de consommer sans produire. Quand on joue à deux la comédie sociale, il est bon de savoir monter tour à tour sur les planches et de remplir le rôle.

—Et, comme cela, vous aimeriez que Mme Berwick battît aussi la caisse pour la remplir?

—Oh! il y a tambour et tambour, comme il y a planches et planches!
Mais c'est sur ce point qu'elle a été d'un rétif...
—Je croyais qu'en toutes choses vous aviez la haute main?

—Toujours est-il que, vivant dans l'opulence, elle ne m'a apporté jusqu'ici dans mes affaires nul concours. Elle reçoit mal les gens que j'ai le plus grand intérêt à ménager. Vous seul aviez fait exception jusqu'ici, et, comme un fait exprès, c'est presque de vous seul que je n'attendais aucun service, puisque, par sympathie, je ne me suis, au contraire, attaché qu'à vous en rendre.

—Ainsi, Mme Berwick fait grise mine à des gens à qui vous passez la main sur le dos?

—Eh bien, oui! s'écria le banquier avec une sorte d'emportement; j'ai à Paris, de passage, un correspondant étranger avec lequel je traite une affaire de la plus haute importance. Ce capitaliste éprouve, à n'en pas douter, un goût très vif pour Mme Berwick. Sans l'enhardir à l'excès, elle pourrait répondre en quelque façon à la faveur que cet étranger lui témoigne. Entre forfaire à ses devoirs et blesser des sentiments délicats et tendres, il y a de la marge, et elle ne donne que des camouflets à un homme de qui j'attends l'avenir, peut-être le salut de ma maison! Je prétends que, si une femme a de la coquetterie (et toutes en ont!), il vaut mieux que cela profite à son mari qu'à elle seule. Et enfin, si une femme a un amant, elle doit au moins atténuer sa faute envers son mari par des avantages qu'il en recueille, sans savoir d'où ils viennent, et qui l'indemnisent.

L'excellent Berwick s'animait et ricanait si agréablement, en tenant ces propos, que Paul, de plus en plus stupéfait, n'eut pas le courage de lui déclarer qu'il le tenait tout simplement pour un drôle. Mais d'un entretien aussi scandaleux il recueillit cette leçon que la beauté de Laure était mise à prix et qu'au profit de la caisse conjugale, on l'engageait à fouler aux pieds le contrat.

L'indignation de M. de Breuilly était peut-être moins forte que son dégoût. Toutefois, il se demanda s'il était bien sûr que Berwick ne le tînt pas pour un amant de Laure, duquel, à défaut du soupirant étranger en vedette, le banquier pensait à tirer parti.

Berwick savait bien que Paul s'était présenté chez lui sous les auspices d'anciens souvenirs de famille; mais le comte, de son côté, était sûr qu'à un homme de cette trempe la fille de Charlotte, n'avait jamais parlé du lien mystérieux qui l'unissait à Paul, ni surtout de la tragédie sanglante qui avait rompu ce lien.

M. de Breuilly se sentait rougir en pensant être considéré par le banquier comme un amant en titre, à qui Berwick tendait la main en lui donnant à dîner.

Peu s'en fallut qu'il n'éclatât; mais le salut de Laure, qu'elle-même avait remis entre ses mains, lui sembla plus précieux que l'éclat d'une rupture, et, après avoir pris congé du banquier sur le seuil du Café anglais, dans les termes d'une amitié et d'une gratitude ironiques pour son amphitryon, il sauta en voiture pour aller écrire à Laure la lettre suivante:

«Ma chère Laure,

«Vous m'avez prié de découvrir les secrets desseins de votre mari: vous n'avez pas eu le courage de me faire part des insinuations infâmes auxquelles vous étiez en butte et dont vous ne deviniez que trop le sens et la portée. Je comprends votre réserve.

«Je sors d'une entrevue avec M. Berwick. Vos craintes n'étaient malheureusement que trop fondées. J'éprouve trop de dégoût pour vouloir entrer dans le détail de notre conversation; je résumerai en deux mots l'impression qui m'en est restée:

«Votre mari, je l'ai deviné, est sur le chemin de la ruine. C'est en vous que gît sa dernière espérance. Il veut vous vendre! Il veut escompter son déshonneur, et c'est sur le vôtre qu'il tentera de reconstruire l'édifice de sa nouvelle fortune. Le nom de l'amant importe peu, vous serez au plus offrant et dernier enchérisseur!

«Vous avez à choisir entre deux partis: résister ou fuir! Résister! Est-ce possible? J'en doute. Vos deux volontés seront opiniâtres. Vous ne céderez jamais, lui non plus.

«Fuir! Peut-être serait-ce plus sage, mais où'? Comment? Laure, vous avez un ami, mieux que cela, un père, disposé à tous les sacrifices pour sauver son enfant. A quelque parti que vous vous arrêtiez, comptez sur moi. Dans les deux cas, je suis à vous. Décidez!

«PAUL.»

Cette lettre, que Mme Berwick avait reçue en partant pour le Bois, elle la lut, tandis que ses chevaux l'entraînaient trop rapidement pour que nul ne pût voir ce qu'elle tenait; elle réfléchit que, pour répondre à M. de Breuilly avec plus de sûreté, il valait mieux ne pas attendre d'être rentrée. Elle déchira une page de son carnet et, au détour d'une allée qui semblait presque déserte, ayant fait arrêter sa voiture, elle traça au crayon ces seuls mots:

«Je ne sais quel parti prendre. Pensez et agissez pour moi.»

La lettre de Paul, déjà froissée, gisait aux pieds de Laure, dans le fond de la voiture.

En ce moment, quelqu'un arrivant par derrière avec une autre personne que, dans sa préoccupation douloureuse, Laure n'avait pas remarquée non plus, tourna le bouton de la portière et invita son acolyte à monter.

Mme Berwick reconnut son mari et, dans son compagnon, un «vieux beau», Dalmate à breloques et à bagues, auquel elle avait, depuis quelque temps, fait défendre sa porte. Ce dernier se présenta tête nue et d'un air aussi avenant que le comportaient sa moustache en crocs et son œil fourbe. Elle salua du geste en cachant lestement son carnet, tandis qu'instinctivement, du pied, elle cherchait par terre la lettre de Paul pour la soustraire à toute curiosité; mais son pied ne trouva rien, et elle comprit qu'en ouvrant la portière, Berwick avait déjà ramassé ce papier révélateur.

IX

De Laure à M. de Breuilly

Mon bon père,

J'écris ceci à l'heure de la Bourse, le seul moment du jour où je sois maîtresse de ma liberté. J'écris devant le feu, quoique les cheminées, dans cette saison, ne soient pas généralement rallumées encore. C'est afin de pouvoir y jeter ce papier à la moindre alerte. N'est-ce pas une vie de prisonnière?

Je n'ai pas à vous dire comment votre lettre m'est parvenue un jour que j'allais au Bois: je crayonnais la réponse.

Par préméditation ou par hasard, mon mari, qui ne va guère au Bois, se trouva là pour monter dans ma voiture, où il ne monte jamais; il y servait d'introducteur à un convive que j'avais supprimé, il y a quinze jours. Je vous reparlerai forcément de ce convive, mais je vais, par un aveu terrible, au devant d'un trop juste reproche: ne voulant ni jeter votre lettre en menus morceaux, ni la conserver, je l'avais froissée et jetée sous mes pieds; pour attendre le moment où je pourrais la livrer aux flammes. A compter de l'instant où M. Berwick est monté dans la voiture, la lettre a disparu, je ne sais comment il l'a ramassée.

Introduit de haute lutte dans ma voiture à la faveur d'une surprise, l'ami de mon mari, M. Sebenico, fut exactement pour moi comme si je ne l'avais pas éconduit.

Devant moi, M. Berwick voulut le retenir à dîner pour le jour même.

—Je n'accepterai, dit Sebenico en s'inclinant vers moi, qu'autant que madame...

—Le désir de M. Berwick est un ordre, répondis-je en regardant l'étranger avec une profonde indifférence.

Sebenico accepta, sans insister, comme s'il n'avait pas compris.

Au retour, à la façon dont mon mari sortit du salon, en m'y laissant seule avec Sebenico, je jugeai qu'il était impatient de lire la lettre volée. Je prétextai le besoin de changer de toilette, et je passai dans ma chambre à mon tour. J'y séjournai peu d'instants, car je tremblais que Berwick n'y vînt, votre lettre d'une main et un pistolet de l'autre.

C'était un enfantillage, et, du reste, la présence même chez nous de l'odieux Dalmate me rassura. Quand je me retrouvai avec ce dernier, il me demanda si j'étais toujours aussi froide. La pensée de ce qui se passait dans le cerveau de M. Berwick jetait un trouble profond dans le mien. Sebenico me vit émue, sa vanité en trouva l'explication dans le souvenir de libertés qu'il s'était permises avant son bannissement de chez moi. Il pensa sans doute que cette émotion était un encouragement, et qu'une femme interdite était repentante et à moitié vaincue. Il recommença à m'obséder de protestations et de coups d'oeil que son accent et son âge rendaient ridicules. Je n'y répondais en aucune sorte; mais je demeurais immobile, tranquillement assise, et je me contentais d'éloigner mes mains qu'il s'efforçait de saisir.

Enfin M. Berwick rentra. J'étais pâle, doublement anxieuse. Je compris que mon mari avait lu la lettre, d'après le regard qu'il me lança. Mais aussitôt, reprenant son sourire et son ton mielleux, il dit à son hôte:

—J'espère que vous n'aurez pas abusé de ce petit tête-à-tête?

—Eh! répliqua Sebenico d'un ton gaillard, ce n'est pas l'envie qui m'en a manqué; madame a le don de me faire oublier tout et toutes, quand je la considère. Il est même heureux, pour le salut de ma cervelle, que vous soyez si vite arrivé.

—Vous oubliez, répondis-je au Dalmate en le persiflant, qu'il faut être deux pour perdre la tête.

Permettez-moi, mon ami, de ne vous raconter au long ni la conversation, ni le dîner, ni l'offre que fit Sebenico de sa loge à l'Opéra, ni la façon dont Berwick accepta, pour m'obliger à l'y suivre. A mon grand déplaisir, je me retrouvai seule avec l'étranger pendant un entr'acte, M. Berwick étant sorti de la loge, sous un prétexte futile et sans m'offrir son bras pour aller au foyer.

Ainsi, je restai le point de mire de la curiosité, et je pus juger que la façon dont cet homme me parlait de trop près éveillait des sourires dans la salle; en faisant braquer sur nous des lorgnettes.

Mais tout cela n'était rien encore. Sebenico, à la sortie du spectacle, prit congé de nous, en m'annonçant qu'il viendrait bientôt me remercier de mes bontés.

Je remontai dans mon coupé avec mon mari. Le tour de Berwick était venu. Ici encore, je ne me sens la force ni de revivre ces vingt minutes-là, ni de les écrire.

Me montrant la lettre à la lueur des réverbères sans la lâcher un seul instant, il commença par me demander si je connaissais cette écriture, et sur ma réponse que je ne savais pas lire à minuit sans lumière, il me dit qu'il n'avait pas besoin de lumière pour me faire expier ma trahison.

Vous dirai-je qu'il me frappa? Vous dirai-je que, de son aveu, peu lui Importait d'où venait son déshonneur, pourvu que l'amant de mon choix le sauvât d'une ruine imminente, que j'avais préparée en fermant ma maison à tout venant, suivant mon caprice.

Laissons ces horreurs! J'avais du laudanum dans ma chambre, et si, dès cette nuit-là, je n'en fis pas usage, c'est au souvenir de ma pauvre mère que je le dois.

Brisée, anéantie, vous espérant, redoutant votre présence, en un mot plus morte que vive, je reçus, à deux jours de là, du Dalmate la visite de digestion.

Quelque honte que pour moi vous en puissiez ressentir, je vous confesse que, pour gagner du temps, le temps de vous attendre, je laissai à cet impudent des espérances.

Tout Dalmate qu'il est, il faut que cet individu soit bien peu physionomiste, car, de la main que j'abandonnai à ces repoussantes lèvres, j'eusse versé du poison si j'en avais eu à ma portée.

Berwick sut sans doute par les domestiques la visite que je venais De recevoir. A la façon cynique dont il inspecta les meubles et ma toilette, je compris ce que j'aurais voulu ignorer toujours. Je parvins à lui parler d'un ton si souriant et si tranquille (celui des femmes qui ont quelque chose à se reprocher), qu'il crut sans doute à son malheur et à ma défaite.

L'idée même de ce malheur le rendit si heureux qu'il eut une lueur d'amabilité pour moi. Il lui échappa de me dire qu'il attendait la visite de Sebenico le surlendemain, pour la conclusion de leur grande affaire.

Adieu, mon ami, mon père, les minutes sont maintenant des siècles. Je me suis procurée la double clef de l'escalier de service pour m'enfuir d'ici, à l'insu de mes domestiques, si vous me commandez de m'enfuir. Où irai-je? Le temps et Sebenico marchent. Berwick me surveille, les valets m'espionnent. Je perds la tête! Pensez pour moi!

Votre fille,

L....

P.-S.—Je sortirai à quatre heures en voiture. J'aurai sur moi cette lettre. Je la jetterai moi-même à la poste, si je ne vous rencontre pas.

A la lecture d'une semblable lettre, la première pensée de Paul de Breuilly fut de recommander sa fille à la protection des lois, il ne s'y arrêta pas. La protection des lois ne s'achète qu'au prix du scandale. La justice informe, mais elle informe à la façon de l'ours de la fable, qui écrase la tête de son maître pour le délivrer d'un moucheron. A quel homme, jeune ou vieux, portant la robe, une femme qui se respecte ira-t-elle dénoncer son mari, qui veut la vendre? Quelle femme affrontera, même à huis clos, les questions qu'un pareil fait dictera à ses juges?

Il ne reste, se dit-il, que les expédients de la défense individuelle. Mettre le mari dans l'impuissance de nuire en le fuyant, ou en le tuant; ou bien le réduire, lui qui veut vendre les autres, en l'achetant lui-même! Mais la fuite passera toujours pour un enlèvement; une femme n'est jamais réputée partir seule.

Tuer Berwick? Celui qui le provoquerait sera obligatoirement réputé l'amant de sa femme.

Acheter Berwick? Oui, il n'y aurait que cela de vraiment pratique. Mais alors, ce serait subir les conditions d'un adversaire victorieux. Payer pour empêcher la persécution, la violence! Payer pour avoir le droit de vivre et pour désarmer celui qui prétend empêcher les autres de vivre! C'est monstrueux! Si Laure ne cède pas (et elle ne cédera pas), quel sort, quelles brutalités l'attendent! Et moi qui, les mains liées par le respect que je dois à Blanche, ne puis ni me mouvoir en liberté, ni montrer même la moindre préoccupation de cet intérêt qui m'enfièvre! Ne pouvoir dire, dans le moment de la lutte: Cette femme que je dois protéger et que je veux sauver, c'est ma fille! Car enfin, je ne puis ni inventer une fable, ni confesser la vérité! Assurément, je puis disposer de ma fortune personnelle, comme bon me semble, puisque j'ai perdu mes enfants; mais comment avouer que j'en aurai disposé? J'alléguerai vainement que je l'ai perdue; je ne suis ni joueur de baccarat ni joueur à la Bourse. J'aurai eu beau respecter l'héritage personnel de ma femme, je n'en serai pas moins ruiné et, par contrecoup, je l'aurai appauvrie! Je vivrai donc désormais de ses deniers, n'étant plus en âge de réparer mes brèches. De bonne grâce, elle subira mes revers; mais je devrai lui en cacher la cause, comme une honte. Je veux admettre que je fasse à Blanche l'aveu devant lequel j'ai toujours reculé, afin d'avoir un prétexte de m'occuper de Laure ouvertement, et de lui chercher un asile. Si cet asile est ma maison, la présence de Laure y sera le reproche vivant d'un premier amour. Si je crée à la fille de Charlotte un autre asile, une autre retraite, jamais Blanche n'admettra que cette retraite ne soit point un second ménage. D'ailleurs, dans l'une comme dans l'autre hypothèse, Berwick est un fin limier qui aura bientôt déjoué les précautions les plus ingénieuses, et c'est alors que ses exigences pécuniaires croîtront, comme prix de sa complaisance pour un marché honteux. Et cependant, elle m'a dit: «Pensez pour moi! Disposez de moi!» Un égoïste de bon sens me dirait: «Laure n'est pas ta fille! Elle s'appelle Laure Widmer! Tu n'es pas responsable d'elle; abandonne-la!» Mon coeur se révolte contre cette lâcheté!... Abandonner la fille aujourd'hui, ce serait le digne pendant d'avoir voulu déserter la vie, pour n'avoir pu posséder la mère! Eh bien, quelle partie de moi-même dois-je immoler pour la sauver? Le bonheur de Blanche, l'honneur de Laure ou ma fortune?

Telle était la torture morale de cet homme sensible, délicat entre tous, Compliquée par l'obligation de ne rien laisser paraître de cette torture; et c'est alors que Charaintru vînt, avec son étourderie habituelle, arracher Paul à sa solitude et retourner le fer dans la blessure, en rejetant une fois encore la question Berwick sur le tapis.

Le petit vicomte somma avec insistance son ami de répondre au sujet de la solvabilité du banquier, et à cette sommation Paul répondit par l'assurance que Charaintru serait payé. À compter de ce moment, M. de Breuilly devenait le débiteur anonyme et indirect d'Hercule. A compter De ce moment, il devait réaliser, et (par un moyen qu'il n'avait pas trouvé encore) faire passer dans les mains d'Hercule, sans que Berwick fût tenté de les arrêter au passage, ces malheureux cent cinquante mille francs. C'est ainsi que, dès le soir même, au grand étonnement de Charaintru, qui ne se doutait pas d'avoir déterminé ce sacrifice, Paul annonçait sa résolution de vendre sa voiture et ses chevaux;

aveu bientôt suivi d'exécution, comme de la vente de son hôtel et de son mobilier.

Les jours qui suivirent furent bien remplis.

M. de Breuilly s'adressa à Falconet, l'homme d'affaires attitré de Tout le faubourg Saint-Germain, pour connaître la situation exacte du banquier Berwick et, de l'autre, pour le charger des réalisations qu'il avait arrêtées.

Le crédit du comte était d'autant mieux établi qu'il n'y avait jamais fait appel. D'ailleurs, Falconet était de ces confidents vis-à-vis desquels les réticences sont superflues.

M. de Breuilly avait besoin d'argent. Mieux que lui peut-être, Falconet sut chiffrer la position de fortune des deux époux, et il n'attendit pas la consommation des ventes pour mettre à la disposition de Paul les capitaux qu'il disait lui être nécessaires.

Ces préliminaires accomplis, la faillite imminente de Berwick roulait sur un déficit de trois cent mille francs, chiffre qui dépassait de près d'un tiers les prévisions du comte; mais il ne sourcilla point.

Il lui restait à délivrer Laure de ses angoisses.

Ce fut encore la promenade quotidienne de Mme Berwick au Bois qui Lui offrit le moyen de communiquer avec elle sans retourner rue d'Anjou-Saint-Honoré. Chaque jour, elle scrutait, en les traversant, les plis de la foule des promeneurs, sans que son ami y apparût. Enfin, une fois qu'à demi mourante de peur à la pensée de rentrer dans un moment à l'hôtel somptueux qui était son lieu de torture, elle passait sa revue accoutumée, elle vit Paul droit en face de l'avenue, assis sur une des premières chaises qui borde le grand lac. L'échange des regards fut rapide. Le comte se leva et, porta en silence la main à son chapeau, puis il fit un pas, en avant de l'arbre au pied duquel il se trouvait.

Mme Berwick fit arrêter, et, ostensiblement pour les oreilles de son cocher, qui devait être, lui aussi, un espion, elle dit à M. de Breuilly:

—Vous voici donc revenu de votre excursion en Languedoc?

—Oui, madame, et je songeais au plaisir de me présenter chez vous; mais vous paraissez souffrante?

—Au contraire, je ne me suis jamais mieux portée; mais ne voulez-vous pas me faire ici la visite que vous venez de m'annoncer à l'heure même?

—Pourquoi pas? répliqua le comte en s'asseyant respectueusement sur le siège du devant du landau.

La portière était refermée.

—Allez maintenant! dit Mme Berwick à son cocher. Ah!... Il était temps, ajouta la jeune femme, qui sembla à Paul bien pâlie. Parlez-vous toujours allemand?

—Moins bien que vous, madame, mais très passablement encore.

Alors, dans la langue de Goethe, la fille de Charlotte dit à son ami:

—A quel parti vous êtes-vous arrêté pour moi?

—Voici! répondit-il, en lui tendant un portefeuille.

X

M. de Breuilly n'avait peut-être point passé, en tout, un quart d'heure dans le landau de Mme Berwick; et néanmoins dans ce court espace de temps, la physionomie de la jeune femme avait complètement changé.

Elle était redevenue radieuse, et c'est à peine si un pli fugitif du front marqua le moment où elle aperçut ses fenêtres de la rue d'Anjou.

C'était merveille que Berwick n'eût jamais entravé les promenades de sa femme au Bois; mais c'était moins par intérêt pour sa distraction et pour sa santé que pour avoir, au vu de tous, une réclame vivante de sa maison. Son équipage, ses chevaux, sa femme allaient jouer là le rôle du chariot rouge d'Old England ou du char-à-bancs de l'Insecticide Vicat. Pour un rien, à défaut d'armoiries, Berwick aurait fait graver sur les lanternes et peindre sur les portières: Berwick et Cie, banquiers. Entrez sans frapper.

L'accueil de Mme Berwick à son mari, qui rentrait plus tôt que de coutume, le remplit de stupéfaction.

—Vous voilà délivré des affaires, lui dit-elle du ton amical dont une femme heureuse parle à son mari. Voici un siège qui vous attend.

Il était si peu fait à ces allures, qu'il regarda sous le fauteuil s'il n'y avait pas quelque surprise à la dynamite.

—Votre situation s'est-elle un peu améliorée? Vos inquiétudes se calment-elles? continua Laure d'une voix presque caressante.

—Le salut commun est toujours en question, répliqua le banquier d'une voix dolente, et la question est toujours posée de la même manière. Sebenico, offensé de vos rigueurs, est disposé à les oublier après vous avoir donné des preuves de son peu de ressentiment; et, à votre accueil plus gracieux de la dernière fois, il a répondu aussitôt par la reprise des négociations pendantes avec moi. Que voulez-vous, ma chère? Il est tout naturel que l'on soit susceptible. Vous l'êtes bien, vous. Et pourquoi ferait-on des affaires? Pourquoi confierait-on des capitaux à une maison où l'on est reçu comme un chien dans un jeu de quilles? Sebenico a le choix.

—Il est bien exigeant, ce Sebenico! Il y a maison et maison. La rue d'Anjou, n°
19, n'est pas la rue Le Peletier, n° 5. C'est rue Le Peletier qu'il a affaire, plutôt
qu'ici.

—Quant à moi, les deux adresses me semblent difficilement séparables, et elles
le sont si peu, dans la pensée de mon client, qu'il m'a promis de venir tout à
l'heure et de rester à dîner avec nous. Je l'ai même devancé pour donner les
ordres indispensables.

—Les ordres! Ne vous en mettez pas en peine, mon ami; je vais les donner moi-
même, pour que la réception à faire à M. Sebenico soit à la hauteur de son
mérite.

Et, sans attendre la réponse de son mari, elle sonna.

Un domestique parut.

—Monsieur Sebenico, vous savez qui est monsieur Sebenico?

—Oui, Madame.

—Il viendra tout à l'heure, et vous lui direz que nous sommes sortis.

Berwick bondit sur sa chaise:

—Mais, s'écria-t-il, vous rêvez, madame!

—Vous allez voir dans un moment que je ne rêve, point; d'ailleurs, ajouta-t-elle
d'un ton de dignité offensée, si je rêve quelque part, ce n'est jamais devant mes
gens!

Puis, s'adressant au domestique,

—Allez! fit-elle.

La porte se referma.

—M'expliquerez-vous enfin?... tonna Berwick en courant vers sa femme, les
poings crispés.

—Oui, mon ami, je vous expliquerai, quand vous vous serez rassis. Vous me parlez de trop près. Vous avez fumé et l'odeur du tabac m'incommode. Voyons, dites-moi franchement à quel chiffre se monte ce fameux déficit qui devait, à la fin du mois, vous faire suspendre vos paiements?

—Faute de 275,000 francs, mon bilan sera déposé, et adieu les loges et les voitures! fit Berwick, qui avait reculé docilement de quelques pas.

—Je croyais, dit Laure, que c'était 300,000 fr.?

—A présent, vous connaissez mieux que moi mes affaires.

—Si je ne les connais pas mieux, je les connais tout aussi bien, et je les traite peut-être avec plus de bonheur que vous! Eh bien! faites-moi un reçu de 300,000 francs!

—Vous avez 300,000 francs à me donner? dit Berwick, ahuri, en se renversant sur sa chaise en face de sa femme.

—Peut-être, riposta Laure d'un ton absolument sérieux.

—Vous les avez? Où sont-ils?

—Oh! répondit Mme Berwick, rien ne presse; le reçu d'abord, s'il vous plaît.

—Un reçu? Ne sommes-nous pas communs en biens?

—Pas tout à fait, si vous vous rappelez notre contrat. Si je vous prête, il est entendu que vous me rendrez.

—Vous n'avez rien en propre que cette méchante bicoque de Dresde, louée cent florins par an.

—Enfin, mon ami, au lieu de nous égarer en vains propos, faites-moi, sur papier timbré, un reçu de 300,000 francs en bonne et due forme, et, si la forme vous embarrasse, en voici le modèle que vous n'aurez qu'à transcrire, mot pour mot.

Le modèle du reçu dépista la curiosité de Berwick; car il était de l'écriture de Laure, bien qu'il eût été dicté par Falconet à Paul, avec les noms en blanc.

—Vous êtes bien forte pour une femme seule, dit le banquier; je ne sais si je dois en passer par là.

—C'est comme il vous plaira, répliqua Mme Berwick, qui semblait impassible. Vous êtes libre!

En ce moment, le timbre de la porte retentit, et l'on entendit Sebenico qui entrait sans même demander si M. et Mme Berwick étaient visibles.

Ce fut une seconde d'agonie pour le banquier; car le domestique avait ordre de congédier trois cent mille francs, sous les traits du Dalmate, qui allait franchir le seuil; mais, pour prix de ce congé, trois cent mille francs étaient offerts à Berwick par Laure, qui ne lui avait jamais menti.

Le Juif fit le geste de se précipiter pour prévenir l'irrémédiable avanie qui allait être faite à l'étranger; mais, pour l'arrêter, Mme Berwick n'eut besoin que de dire à son mari, en levant l'index de sa jolie main jusqu'à ses lèvres:

—Prenez garde! Trop parler nuit!

—Mais enfin!... tonna une voix dans l'anti-chambre, je vous dis que monsieur Berwick m'a invité à dîner.

Le Dalmate se fâchait.

—Vous voyez, dit le Juif à sa femme d'un ton très bas, car il n'avait nulle envie, en trahissant sa présence à la maison, de se compromettre à tout jamais. Il écouta l'altercation en retenant son haleine.

Laure, beaucoup moins effrayée, eut de la peine à s'empêcher de rire.

Enfin, le bruit de la porte d'entrée, que l'on refermait à tour de bras, lui fit dire avec ironie:

—Il paraît qu'en Dalmatie, c'est comme cela qu'on ferme les portes dans les bonnes maisons.

—Cet homme est furieux! s'écria Berwick. Il est capable de me provoquer à présent.

—Il est provocant, en effet, mais peut-être pas comme vous l'entendez. Finalement, j'ai été insultée ici, chez moi, par ce galantin de l'Adriatique, et vous n'étiez pas là pour défendre ou venger mon honneur. J'en ai assez.

—Pas de mélodrame, et finissons-en avec les rébus! N'avez-vous pas 300,000 fr?

—Voici, dit Laure, de l'encre, une plume, du papier, voire du papier timbré, enfin tout ce qu'il faut pour écrire un reçu. Ecrivez-le. Quand je l'aurai, donnant, donnant!

Berwick se résigna et il transcrivit le reçu. Laure regardait s'il le Transcrivait exactement, en se tenant penchée par-dessus son épaule.

—Vous oubliez quelque chose, lui dit-elle, en lui désignant de l'ongle un membre de phrase omis.

—Pure inadvertance, riposta le banquier en rougissant.

—Tout y est bien, maintenant, lui dit-elle, quand il eut apposé sa signature. Donnez-moi cela.

Elle prit le reçu, le plia, puis:

—Tenez, fit-elle, voici une clef, celle du chiffonnier de ma chambre. Le dernier tiroir en bas. Vous y trouverez trois liasses de cent mille francs en billets de banque.

A ces mots, Berwick sauta sur la clef, courut à la chambre de sa femme, Força presque le tiroir en l'ouvrant, saisit, compta les trois cent mille francs, les enfouit dans les poches de son veston et, rentrant dans le salon, il dit, comme étonné:

—Il y a le compte!... Mais, ajouta-t-il aussitôt d'un ton railleur, j'ai donné le reçu pour avoir les 300,000 francs; maintenant que je les ai, je veux le reçu.

—Votre probité naturelle, mon ami, a de ces retours!...

—Il me faut le reçu! dit-il d'une voix sèche.

—Ce serait un vol, objecta Laure, d'un ton très doux.

—Vous dites?

—Je dis que vous ne l'aurez pas.

—J'aurai bientôt fait de le reprendre.

Et il se jeta sur sa femme, lui tordant les bras et fouillant avec frénésie dans la poche de sa robe.

—Misérable! Vous pouvez me tuer, mais vous ne pouvez le reprendre; il n'est plus là!

—S'il n'est pas sur vous, il est quelque part dans un meuble.

—Cherchez, dit-elle, vous ne trouverez pas.

—Je suis refait, fit Berwick, l'oreille basse.

—Est-ce là votre façon de remercier! Je vous sauve l'honneur, la vie, et vous n'avez pas un mot aimable à me dire?

—Je voudrais remercier le véritable auteur de cette munificence, mais il faudrait pour cela le connaître, savoir son nom.

—Cherchez, répéta Laure, vous ne trouverez pas.

—Vous avez donc un amant, madame, avec tous vos airs de vertu? Il vous a enseigné la défiance!

—Tout est possible, dit-elle; n'est-ce pas vous qui m'avez montré le chemin?

—Trêve de plaisanteries! C'est votre fameux comte de Breuilly, sans doute?

—Demandez-le-lui!

—Mettons d'abord cela en lieu sûr, fit Berwick en se rendant à son cabinet avec les billets de banque.

Dès qu'il fut sorti de la chambre, Laure prit, dans la corbeille de bois à brûler, près de la cheminée, une bûche légèrement fendue qu'elle transporta dans l'âtre de sa chambre, après en avoir retiré, et caché dans le tiroir où avaient été les 300,000 fr., le reçu de son mari. Puis elle mit la clef de ce tiroir dans un autre meuble dont elle retira la clef à son tour.

Ces précautions prises, elle se rendit à la salle à manger, où, d'un air distrait, le banquier parcourait les journaux du soir.

Le dîner eut lieu sans encombre, et les époux semblèrent en si bonne Harmonie que les domestiques se demandaient si leurs maîtres étaient bien les mêmes que les jours précédents.

Non que Mme Berwick donnât jamais volontairement le spectacle sans dignité des dissidences conjugales; mais il était rare que le fond de grossièreté de Berwick ne se traduisît point par quelque boutade de mauvais ton.

Ce soir-là, il fut doux, doux comme s'il y avait eu là quelque convive. En réalité, il songeait que cette haute main, dont il était si fier, il venait de la perdre tout à fait, et que des égards au moins temporaires étaient dus à une femme qui avait su faire tomber dans sa caisse une aubaine de 300,000 francs.

Laure n'eut toutefois de véritable repos qu'après avoir utilisé sa première sortie pour mettre le reçu en sûreté chez une personne de confiance; car elle, redoutait, pour ce papier, nonobstant les précautions prises, le sort de la lettre de M. de Breuilly.

De son côté, Berwick se demandait s'il devait attribuer à M. de Breuilly le secours inespéré qui venait de rétablir son crédit, et si Laure n'avait pas donné volontairement au comte les marques de tendresse refusées au Dalmate.

La lettre volée lui prouvait que l'intimité, morale au moins, du comte et de Laure avait été poussée très loin. La façon dont Berwick y était traité ne laissait, pour ce dernier, nulle place au doute. Il pensait qu'une femme est nécessairement infidèle dès qu'elle prête l'oreille au mal qu'un tiers lui dit de son mari.

Il aurait frappé juste s'il eût eu devant lui des caractères ordinaires.
Il ne pouvait se douter du lien qui unissait sa femme à M. de Breuilly.

XI

Dès que Laure eut pu se recueillir, elle s'inquiéta sérieusement de revoir M. de Breuilly, et, dans ce but, elle fut assidue à croiser en voiture devant la place du bois de Boulogne où il lui était arrivé de le rencontrer. Tout fut inutile. Elle ne pouvait pas aller rue de Verneuil. Elle se décida à écrire, bien que, par expérience, le sort des lettres lui semblât fort problématique; mais la délicatesse la plus élémentaire ne lui permettait pas de rester muette en face d'un pareil bienfait.

A vrai dire, la fille de Charlotte ne s'était jamais préoccupée de savoir si Paul était plus ou moins riche.

Elle l'avait cru dans une aisance conforme à sa naissance et aux habitudes qu'elle lui voyait; puis, le service immense et inespéré qu'elle avait reçu de lui trahissait des ressources financières considérables. Ce qu'elle ne pouvait imaginer (car le gentilhomme s'était abstenu de toute réflexion à cet égard), c'est qu'il eût éventré, pour sauver la jeune femme, le seul baril d'or dont se composait sa fortune personnelle.

En aucun cas, Mme Berwick ne pouvait demeurer inactive, ni ignorante de ce que le comte était devenu. Son coeur aimant et reconnaissant lui avait fait d'ailleurs une telle nécessité de voir celui qu'elle appelait son père, que peut-être elle eût choisi sans hésiter la misère si on lui eût donné le choix d'être pauvre et de garder son ami, ou de lui dire un éternel adieu pour conserver l'opulence.

Si la société de M. de Breuilly eût été celle des Berwick, peu de jours auraient suffi pour permettre à Laure de se renseigner; mais les couches sociales sont si distinctes à Paris, qu'une étrangère surtout comme Mme Berwick, ne savait comment s'y prendre.

D'ailleurs les questions irréfléchies sont toujours dangereuses dans un monde nouveau que l'on connaît mal, et le premier mot qu'elle aurait prononcé devant un tiers indifférent aurait pu provoquer, notamment au moins, cette réflexion:

«En quoi M. de Breuilly peut-il intéresser madame Berwick?»

Ce qui l'affligeait le plus, c'était la crainte que Paul ne fût malade, ou qu'il eût clos ses relations avec elle par un bienfait, avec l'arrière-pensée de ne pas les prolonger.

Elle lui écrivit donc:

«L'enfant que vous avez sauvée d'un si grand péril ne peut s'habituer à ne plus vous voir. J'ai le besoin absolu de vous dire que votre bienfait n'a pas été stérile, et que vos instructions ont été suivies de point en point. Je ne voudrais pas que la situation compromise, puis par vous rétablie, fût la seule preuve que vous eussiez de ma reconnaissance.

«D'ailleurs, en recevant, vous savez que j'ai résolu de rendre!
Ne me laissez pas languir sans nouvelles de vous».
Cette lettre demeura sans réponse. Les jours, les semaines se passèrent ainsi.

Mme Berwick avait beau se dire: «S'il s'abstient, c'est par nécessité.» Cette nécessité l'épouvantait. L'infernal banquier y était-il pour quelque chose? Il se doutait que M. de Breuilly avait joué un rôle dans cette aventure; mais son intérêt même lui commandait de ménager un ennemi en qui il avait trouvé un pareil allié. Dans quel but alors se serait-il arrêté à un autre parti?

Après tant de petites infamies, le Juif s'avisait-il d'un tardif scrupule d'honneur? Voulait-il ignorer officiellement qu'il avait été sauvé par l'amant de sa femme?

Laure creusa la question et ne trouva rien.

En attendant, Berwick vivait en côtoyant sa femme, sans la froisser. Il ne lui marquait qu'une courtoise indifférence. S'il continuait à l'espionner et à la faire espionner, comme cela était plus que probable, qu'aurait-il découvert, puisqu'il n'y avait rien?

Le gros de l'hiver se passa. Le banquier paraissait content de ses affaires. Il menait sa femme au spectacle, et Paul était aussi invisible dans les théâtres que dans la rue.

L'hôtel de la rue de Verneuil avait été vendu à huis clos; sans quoi, la publicité de cette vente serait apparue à la quatrième page de quelque journal, et Laure en aurait été avertie.

La seule explication plausible pour elle était la maladie ou l'absence; mais elle ne se serait jamais avisée de la ruine.

Cependant il est bien rare que la volonté d'une femme qui aime n'arrive pas à ses fins. Quand les jours plus longs et meilleurs permirent à Mme Berwick de sortir à pied, elle commença par habituer ses argus, maître et valets, à des sorties très apparentes, avec un but très avéré pour objet. Tantôt elle se faisait conduire en voiture à quelque point des promenades les plus rapprochées, les Champs-Elysées, le parc Monceau, et, descendue-là, elle renvoyait ses chevaux, pour rentrer à pied. Tantôt elle portait ostensiblement des secours à quelque famille pauvre, dont elle donnait l'adresse. Ceci expliquait ses sorties matinales. Elle ne s'en fit pas faute, et, pour le bel air comme pour son propre crédit, Berwick fut flatté, en apparence, d'avoir pour femme une dame de charité.

Mais la charité sert trop souvent de prétexte à des fugues féminines qui n'ont rien de trop catholique; Berwick le savait, et il est probable que Laure était fréquemment suivie.

Toutefois, elle ne se démentit point; elle cherchait M. de Breuilly sans le dire, et ce fut d'une fruitière de la rue de Verneuil qu'elle apprit enfin que le comte avait déménagé. Toutefois, il fut impossible à cette femme de dire où il était allé. Il restait à savoir quel chemin son mobilier avait pu prendre, et il fallait, pour cela, s'adresser aux entreprises de déménagements; mais cette recherche, faite un peu au hasard, n'aboutit point, et elle pouvait d'autant moins aboutir, que les meubles avaient été, non déménagés, mais vendus.

Quelque soin que Paul eût pris de laisser ignorer sa retraite, Mme Berwick, rencontrant un jour le double poney noir sur lequel elle Avait vu jadis le comte au Bois, eut la hardiesse de faire signe au Palefrenier qui le montait et de lui dire, avec un sans-gêne dont elle ne se serait pas crue capable:
—Cette jolie bête appartient à l'écurie du comte de Breuilly, n'est-ce pas?

—Pardon, madame, elle est à présent à M. de Charaintru.

—Ah! depuis quand le comte l'a-t-il vendue?

—Oh! dit le palefrenier, cela remonte à plusieurs mois.

—Et sait-on où le comte demeure à présent?

—Monsieur le comte, répondit le domestique, demeure rue de la Condamine, aux Batignolles.

Mme Berwick était enfin en possession du renseignement qui lui avait coûté tant de soins, de recherches et de peines. Elle pouvait sauter dans une voiture de place et courir sur-le-champ à l'adresse indiquée, savoir enfin, par suite de quelles étranges circonstances un habitant du faubourg Saint-Germain avait émigré au fond d'un quartier où les hommes portent des abat-jour verts.

Mais un scrupule l'arrêtait. Elle qui avait toujours respecté, et pour cause, les pénates de la comtesse Blanche, ne pouvait encourir l'étonnement douloureux qu'elle lui causerait rue de la Condamine comme ailleurs. Malgré son impatience, elle voulut prendre le temps de la réflexion jusqu'au lendemain, et dès le matin, elle partait décidément pour les Batignolles.

On sait ce qui s'y passa. On sait qu'alors Paul de Breuilly, malade, confinait dans une obscurité calculée ses malaises et sa tristesse et que Blanche en était parfois réduite à ouvrir elle-même sa porte.

La fatalité, qui avait déjà livré une lettre de Paul à Berwick, fit tomber entre les mains du banquier la réponse écrite de Paul à la démarche de Laure, Cette réponse adressée à Mme Laure Widmer intrigua plus Berwick que si elle eût été adressée à Mme Berwick; donc il l'ouvrit, et, comme le comte y parlait de présenter Mme de Breuilly à Mme Berwick, il jugea qu'il était habile de donner cette lettre à sa femme et d'attribuer la rupture du cachet à une inadvertance.

Du tout il résulta pour Laure que Paul était malade et ruiné; que sa ruine avait été la cause de son silence et qu'il avait poussé la générosité jusqu'à dérober à sa fille la cause réelle de son malheur.

La nécessité d'une restitution se dressa devant elle. Si le banquier prospérait, il fallait que le remboursement commençât; mais, si M. et Mme de Breuilly se présentaient chez elle, Laure pourrait-elle, sans indiscrétion, faire une allusion quelconque aux faits accomplis? Pourrait-elle dire à Paul, devant Blanche, qu'elle était débitrice et qu'elle songeait à s'acquitter? Et, avant tout, Paul avait-il eu seulement connaissance de la dernière lettre adressée par elle rue de Verneuil? La réponse du comte faisait allusion à la visite, mais point à la lettre.

Elle se fia au hasard du soin de faciliter une tâche aussi difficile. Seulement la visite annoncée se fit inutilement attendre. La convalescence de Paul n'était donc pas encore déclarée?

Laure se dit bien qu'elle devait questionner son mari sur l'état actuel de ses finances et insinuer de quelque manière qu'elle avait besoin d'argent; mais, dès que cette allusion à l'existence du reçu en eut ravivé le souvenir dans l'esprit du banquier, celui-ci recommença à demander ce que cette pièce compromettante était devenue. Il en parla un peu tous les jours, puis il manifesta de l'impatience de ce que Laure ne lui répondait point; puis il menaça Laure d'indiscrétions qui, pourtant, ne pouvaient émaner que de lui et dont il aurait été la première victime.

Il voulait que Laure lui montrât au moins le reçu, pour l'aider à s'en rappeler les termes et pour voir de quelle manière il était forcé de tenir son engagement. Laure continua à dire qu'il n'était plus en sa possession. Le banquier eut beau prétendre que sa caisse devait être le dépôt des affaires et des secrets de famille, et que rien n'était en sûreté que là, Mme Berwick fut inexorable. Elle allégua que, pour payer ses dettes personnelles, elle se contenterait de cinquante mille francs par an, mais qu'elle tenait à honneur de les solder.

—Eh bien! dit Berwick, je ne veux rien rendre, jusqu'à ce qu'il m'ait été prouvé que ces malheureux trois cent mille francs ne sont pas le prix de notre déshonneur. Vous voyez le comte presque tous les jours, et ce n'est apparemment point pour parler politique ensemble. L'existence de ce reçu dans des mains tierces me tient sous le couteau. Le reçu doit être modifié, en tout cas. Si vous étiez bien inspirée, vous feriez ce que je vous demande, ne fût-ce que pour prévenir le scandale d'un procès entre nous.

Laure, alarmée, vit bien que son mari allait en revenir aux emportements et aux violences, tandis qu'à elle-même sa conscience lui faisait un devoir de secourir son père, comme lui-même l'avait secourue.

On était alors à la fin de mars.

Un beau jour, Berwick, se disant épuisé par le travail et dominé par un ardent besoin de respirer un meilleur air que l'air de Paris, annonça qu'il avait loué une propriété d'agrément et qu'il allait s'y rendre. Sans autre forme de procès, il pria sa femme de se préparer à le suivre, et comme elle lui demandait en quel pays se trouvait cette propriété, il lui répondit qu'il tenait à lui ménager une surprise.

—Mais, du moins, lui dit-elle, emporterai-je ce qu'il faut pour une absence de huit jours ou de trois mois, et pour habiter les Ardennes ou la Provence.

—Peu importe, lui dit-il, emportez ce qu'il faut pour demeurer n'importe où et partout. Quant à la durée, elle dépendra du bien que cette absence pourra me faire. Il est temps que je songe à sauver la barque en sauvant le pilote. Vous êtes la dernière à vous apercevoir que ma santé s'altère profondément et de plus en plus.

Puis, dès le lendemain de ce jour-là, il annonça son départ pour le soir même.

Mme Berwick, prêtant à son mari quelque dessein sinistre, n'avait plus ni le temps, ni aucun moyen de communiquer avec M. de Breuilly.

Les malles furent improvisées; l'appartement de la rue d'Anjou fut fermé et, à la nuit close, après un dîner silencieux auquel Laure ne toucha point, un omnibus de famille conduisit les deux époux à la gare Montparnasse.

Laure espéra du moins connaître la destination lorsque Berwick prendrait les billets; mais il la fit entrer dans la salle d'attente des premières, pendant qu'un domestique allait au guichet et faisait enregistrer les bagages. Elle monta donc en voiture, littéralement sans savoir où elle allait.

Pour comble, elle se trouva seule dans le compartiment avec Berwick.

XII

A la stupéfaction du concierge de la rue d'Anjou, n° 19, M. Berwick était, dès le surlendemain, de retour dans son appartement, après avoir annoncé une absence lointaine et prolongée. Le trousseau de ses clefs à la main, il s'enferma chez lui tout seul, car il avait congédié les domestiques qu'il n'avait pas emmenés. Il pratiqua une minutieuse perquisition; tous les meubles à l'usage personnel de Laure y passèrent. Ce fut en vain; le reçu n'était réellement pas rue d'Anjou.

Il était impossible, d'après les relations au moins amicales entre M. de Breuilly et Laure, que celle-ci n'eût pas donné au comte, en garantie d'un versement qui ne pouvait être venu que de lui, le papier qui représentait les 300,000 francs. Ainsi, le créancier réel n'était plus Mme Berwick: c'était l'ami imprudent et généreux qui avait fourni cette somme, et c'était lui qu'il importait de sonder, de provoquer à un aveu, de désarmer, s'il rêvait une campagne contre le débiteur. Berwick prit donc une résolution hardie. Peu soucieux du mépris non dissimulé du gentilhomme pour un Gobseck de son caractère, il affronta une entrevue nouvelle avec lui. Paul l'avait, par écrit, traité de drôle, mais le banquier se souciait peu des injures qui rentraient, selon lui, dans la catégorie des frottements inutiles, nuisibles au bon fonctionnement des affaires.

Le banquier apprit aisément, par Charaintru, l'adresse actuelle de Paul et, comprenant qu'il ne pouvait faire venir à son cabinet de la rue Le Peletier un personnage qui ne lui devait rien, il résolut d'aller aux Batignolles. Il avait une entrée toute naturelle; s'il rencontrait la comtesse chez elle, il pouvait se plaindre aimablement d'avoir été frustré d'une visite annoncée par M. le comte lui-même.

Quel que fût l'empire de Paul sur lui-même, son visage marqua un vif Dégoût quand Annette annonça à son maître le nom du visiteur qui le demandait. Mais la défense des portes est plus difficile dans les petites maisons que dans les grandes. Il n'y avait pas là de portières épaisses et de pièces en enfilades pour amortir les voix.

A quelques mètres, Berwick entendit Annette prononcer son nom; il avait Même entrevu déjà la figure austère du comte par une porte entrebâillée.
—Faites entrer! fut la seule réplique de Paul à l'annonce de cette visite inattendue; et quand le banquier parut devant le gentilhomme, celui-ci était

debout derrière sa table à écrire, s'inclinait sans ouvrir la bouche et de la main lui désignait un fauteuil.

À voir entrer Berwick souriant, pétillant, mis à la dernière mode, ganté de frais et exhalant un vétiver intense, on aurait dit que ces messieurs n'avaient pas cessé de se voir et que le banquier continuait simplement avec M. de Breuilly d'anciennes relations de haute courtoisie.

—Monsieur le comte, dit le Juif, après les compliments d'usage, je veux vous prendre pour confident. A une époque encore peu éloignée, j'ai passé par de mauvais jours. Une confiance excessive peut-être dans des opérations qui ne la méritaient pas me firent craindre un moment de succomber dans la lutte. Ah! le terrain de la banque est bien glissant, même pour un vieux patineur comme moi! Un banquier est difficile à tromper; mais il se trompe quelquefois!... Il est homme!

À l'ouïe de cette tirade, le visage de Paul s'allongeait, de plus en plus ennuyé; Berwick s'en aperçut.

—Toujours est-il, poursuivit-il, qu'un secours providentiel, offert par une main inconnue, me tira d'embarras d'une façon singulière, au moment où je m'y attendais le moins. Quelqu'un, qui poussa la délicatesse jusqu'à garder l'anonyme, me procura sans garantie aucune, le moyen de faire face à mes échéances. Cet inconnu pensa-t-il que le masque épais dont il avait si généreusement couvert son visage ne serait jamais percé par mes regards? Ou bien fit-il à ma loyauté l'honneur de croire qu'elle serait d'autant plus scrupuleuse, qu'il m'était plus facile, si je n'étais pas ce que je suis, d'oublier le bienfait? A la seconde question, ma présence chez vous répond suffisamment. Elle est en même temps une dénégation opposée à la première.

—Pardon, monsieur, répondit le comte, toujours glacé, je ne vois décidément pas où vous voulez en venir. Il est invraisemblable de m'attribuer un service aussi extraordinaire, rendu à quelqu'un qui n'est ni mon parent, ni mon ami.

—Je regrette amèrement, monsieur le comte, que vous ne soyez plus le mien, mais je suis demeuré le vôtre, et, quand même je ne le serais plus, ma venue ici est l'accomplissement d'un devoir. Si vous n'êtes pas l'auteur de cette belle action, le connaissez-vous? Je pense qu'alors vous m'aideriez à le découvrir. Quant à moi, les relations anciennes que vous avez soutenues avec ma famille vous désignaient comme seul capable d'une pareille abnégation, dictée sans doute par des souvenirs qui vous sont toujours chers; et dans cette hypothèse, ce que vous m'avez prêté, je me suis mis en mesure de vous le rendre,

—Ainsi, dit Paul, je ne vous ai pas réclamé d'argent, et vous m'en apportez? Mais pour l'accepter il faudrait que j'eusse reconnu la dette.

—Et c'est ce que vous allez faire, mon cher comte; car il m'est impossible de rester dans la situation où je suis. Vous n'êtes plus mon ami, dites-vous? A plus forte raison n'avez-vous pas de cadeaux à me faire, et il ne me convient pas, à moi, d'en recevoir.

Paul était excessivement combattu; car, ou Berwick, ayant appris la vérité, venait réellement pour s'acquitter, et la position du comte Etait trop amoindrie pour qu'il pût mépriser une pareille aubaine; ou bien le rusé banquier voulait seulement obtenir la preuve que Paul avait réellement fourni à Laure les 300,000 francs.

Paul savait parfaitement que, à vues humaines, il faut être l'amant d'une femme, quand on n'est ouvertement ni son frère, ni son père, ni son mari, pour accomplir des actions d'un pareil dévouement; et si Berwick voulait avoir une preuve matérielle de l'infidélité de sa femme, il n'en avait pas de plus belle à recueillir que l'aveu du service rendu par Paul.

Et le comte ne voulait ni perdre décidément sa fortune, ni compromettre Laure en s'avouant l'auteur du bienfait.
Il regardait fixement Berwick, qui ne baissait pas les yeux, et qui cherchait en vain, dans la physionomie de son interlocuteur, une trace des sentiments qui l'agitaient.

—Monsieur, dit-il enfin au banquier, vous n'êtes point mon obligé, et pour ce motif je ne puis que vous remercier de la sollicitude exquise qui vous conduit chez moi. Il est en effet possible que, par mes relations personnelles et sous le sceau de la confidence, j'aie connu l'auteur de cette libéralité dont vous parlez. Si elle a raffermi votre crédit, j'en suis aise. Si vous avez à coeur une restitution, cette restitution sera certainement bienvenue, mais pour que je puisse en toucher un mot à la personne que cela intéresse, au moins faudrait-il que je pusse lui dire sous quelle forme cette restitution aurait lieu. De quelle somme s'agit-il et qu'offrez-vous?

—Mon Dieu! repartit Berwick avec une sorte de bonhomie, j'ai lancé depuis peu l'affaire des «Fumiers de la ville de Paris». Or, il a été créé des parts de propriété de cette mine inépuisable, pour récompenser certains concours. Je m'en suis réservé une quantité considérable et je puis en disposer en faveur de quelques privilégiés, sans leur faire bourse délier. Ces titres, qui ne coûteraient rien à mon créancier, le nantiraient d'un revenu tel, à moins qu'il ne préférât les vendre en hausse, qu'il serait remboursé, capital et intérêts, en peu d'années.

Quoique Paul ne fût pas un homme de Bourse, il se rappela tout soudainement les parts de propriété de certaines entreprises et il eut sur les lèvres un mot qu'il n'articula pas: monnaie de singe!

Accepter ce mode de remboursement, c'était désarmer sa fille, à qui il était bien réellement dû 300,000 francs, et liquider, en ce qui le concernait lui-même, une créance de cette somme par un tant pour cent dérisoire.

Il n'avait pas fait un sacrifice pour en bénéficier; en sauvant Laure du déshonneur et de la persécution, il n'avait compté sur aucun avantage.

Il aurait accepté s'il avait été seul, aimant mieux, que sais-je? Trente mille francs, sur trois cent mille que rien, mais il fut intraitable.

Seulement, comme il voulait réfléchir, il ajourna.

—J'ignore absolument, monsieur, quel accueil pourra être fait à cette ouverture officieuse; mais il est une question à laquelle vous n'avez pas répondu Quel est le quantum de la créance?

—Puisque ce n'est pas affaire à vous, monsieur le comte, en quoi ce chiffre peut-il vous intéresser?

—Vous avez raison, répliqua M. de Breuilly avec brusquerie. Eh bien! je dirai un mot dans l'occasion de vos «Fumiers de la ville de Paris». C'est tout ce que je puis faire.

—Si vous jetiez un coup d'oeil sur la cote, ajouta le Juif d'un air insinuant, vous verriez que, ces jours-ci, ces titres-là sont cotés très haut. Or, tout a des fluctuations, et....

—Oui, interrompit Paul, ces fluctuations peuvent être défavorables si l'on ne se hâte?

—Je ne dis pas cela, objecta Berwick; mais l'occasion n'a qu'un cheveu.

—J'ai dit, riposta le comte en se levant.

C'était mettre Berwick en demeure de l'imiter. Il le fit.

—Ah! il fait fi de mes parts de propriété qui ne lui coûteraient rien, ni à moi non plus, et dont je lui avais apporté un ballot dans ma voiture. Décidément, c'est un homme indécrottable, pensa le banquier.

Puis haut:

—Aurai-je l'honneur de vous revoir, monsieur le comte?

—C'est douteux, monsieur Berwick. Je suis avec Mme de Breuilly sur le point de m'absenter.

Puis, dès que Berwick eut franchi la grille:

—Annette, dit Paul à la vieille femme de chambre, vous avez bien vu cet homme? Je n'y suis jamais pour lui.

Comme il revenait sur ses pas en traversant la cour, le facteur sonna et
Remit une lettre qui portait le timbre de Tarbes.
La suscription était de Gustave Mayran. Paul sourit avant de l'avoir ouverte, à la pensée d'y trouver la reconnaissance et le contentement d'un ami.

Elle était courte, comme toutes les missives du général:

«Merci, mon vieux Paul! Tes démarches ont été couronnées de succès, et, grâce à toi, je vais commander à Lunéville, ce qui, par la canicule prochaine, sera plus rafraîchissant que Tarbes; et puis, étant de Verdun, j'aime la Lorraine, je suis là chez moi. Les journaux annoncent qu'Adrien de Vermont est arrivé de l'Afrique Centrale. Je pars pour Paris. Le quartier général sera chez moi, rue de Bellechasse. J'aurai un mois à vous consacrer.

«Mes plus empressés hommages à madame la comtesse.

XIII

Le village de Clamart, dont les omnibus ont fait un faubourg de Paris, rive gauche, a pour attrait principal le voisinage de ses bois. Il forme plus ou moins, du côté sud-ouest de Paris, un pendant à ce que fut jadis Romainville, au nord-est. C'est ainsi qu'aller à Clamart, pour toute une Colonie de négociants parisiens retirés des affaires, c'est encore aller à la campagne. Si l'on traverse le bois dans sa partie la plus étroite, au sud, on aperçoit, à peu de distance, au bout d'une plaine, un vrai village de cultivateurs, sans enseignes peintes sur ses pignons, sans orgue de Barbarie, enfin tout un étonnement pour le citadin, qui respire là, à pleine poitrine, un air vif et vierge, et qui entend chanter les coqs et bêler les moutons; cette, bourgade en dehors des voies ferrées est le Plessis-Piquet.

S'il n'y a guère, à Clamart, que de fort petites propriétés bourgeoises, il n'y en avait pas du tout au Plessis-Piquet, hormis une, plus grande qu'aucune de celles de Clamart, et qui tranchait avec les corps de ferme d'alentour. Les hôtes de cette habitation, appelée dans le pays le Château, étaient là depuis peu et fort peu connus. Le maître de la maison venait chaque matin, en cabriolet, prendre le train de Paris à la gare de Clamart. Il revenait le soir, à des heures indéterminées. Il y avait une dame que l'on apercevait à peine dans les jardins et qui n'en franchissait jamais les clôtures. Le seul personnage bien apparent de la maison était un maître-valet, altier, monosyllabique et plus ordinairement silencieux, qui faisait les emplettes et payait les fournitures. Quand on sonnait, il se montrait à la grille. Le château ne recevait pas de visites, et cette absence de relations avait fait surnommer ses habitants: les ours.

Quant à Clamart, sa colonie parisienne, qui ne se renouvelle guère, s'était enrichie, vers le même temps, d'un nouveau membre.

C'était un homme de haute taille et de tournure distinguée. Il pouvait avoir cinquante ans et ne connaissait non plus personne.

Ordinairement en costume de chasse, complet de velours marron, feutre mou De couleur grise, avec un crêpe fané et un ruban noir, il ne portait point de fusil, mais une gibecière, qui lui servait pour la récolte des herbes sauvages et des fleurs.

Il se promenait beaucoup et de tous côtés. Un voile vert, à la façon Des Anglais, lui couvrait le visage. Ses allures étaient celles d'un convalescent qui va sans but déterminé. Les lézards, les papillons, les oiseaux, les phénomènes de la nature semblaient seuls captiver son attention. Dès qu'il est avéré qu'un flâneur herborise, dessine ou fait collection de coléoptères, les gens affairés, les gens sérieux ne prennent plus garde à lui. C'est ce qui lui arriva. Du reste, il avait l'air trop respectable pour éveiller la défiance; il était trop uni pour faire événement. Comme on ignorait son nom, on disait simplement de lui: C'est le monsieur qui bâille aux mouches. Entre autres excursions habituelles, il s'attardait souvent au pourtour du parc dépendant du château du Plessis. Là, dans les sentiers tracés par le hasard, il trouvait plus de fleurs et d'insectes à son gré. Quelquefois il s'asseyait sur une souche, pour examiner à la loupe les coléoptères récoltés par lui dans son petit flacon d'entomologiste, ou bien il tirait de sa gibecière un livre qu'il lisait jusqu'au coucher du soleil.

L'habitation de ce personnage était la plus petite case de Clamart, à côté du presbytère. Il l'avait louée, meublée et y avait installé sa femme. Une dame très comme il faut, et leur femme de chambre, personne en cheveux gris, discrète dans ses allures, muette comme ses maîtres et pour eux d'un respect attentif qui ne se démentait jamais.

Tout ce que l'on savait de ces gens était, pour avoir entendu la maîtresse appeler sa servante, que celle-ci s'appelait Annette. De la maison dépendait un tout petit jardin, qui pouvait avoir six arbres fruitiers et trois plates-bandes de fleurs. La dame y brodait sur un pliant, une partie du jour.

A l'un des angles du parc, dans la région la plus éloignée du château, il y avait un kiosque, séparé des champs par un saut-de-loup et d'où l'on découvrait Châtenay et la déclivité de son côteau. La châtelaine inconnue, que l'on ne voyait jamais en toilette, y venait quelquefois en déshabillé champêtre, mais toujours seule. Elle demeurait là, sous son baldaquin de chaume et ses courtines de lierre, assise à une table rustique, où elle se tenait accoudée, la tête dans les deux mains. Il était inévitable que ces stations douloureuses en apparence, et assez prolongées, éveilleraient bientôt l'attention du promeneur à la gibecière, qui venait fureter fort souvent par là. Les deux étrangers se connaissaient sans doute, car dès la première fois qu'ils s'aperçurent, la dame envoya un baiser au monsieur, qui répondit par un affectueux salut de la main.

Mais aussitôt la dame porta le doigt à ses lèvres en désignant, de l'autre main, les alentours du kiosque. Alors le promeneur s'assit en face de la dame, sous des buissons qui bordaient le sentier, et il attendit. La dame tira de la poche de sa robe un carnet et un crayon, traça quelques mots, et choisissant une petite pierre, y assujettit le billet et lança le projectile de l'autre côté du saut-de-loup. Le promeneur ramassa cette dépêche, la déplia, et parut atterré de ce qu'il lisait. Répondre par le même moyen était chose facile; mais, pour un homme prudent, il y avait cette différence que le billet, une fois tombé entre ses mains, était en sûreté, tandis que les appréhensions exprimées par la dame sur la surveillance dont elle était l'objet, rendaient dangereuse la réciproque. La dame exprima cette appréhension par signes; mais comme la réponse était urgente, il fut sans doute convenu, aussi par signes entre eux, que la damne rejetterait la réponse après l'avoir lue. C'est ce qui eut lieu.

Dès le lendemain, mais par un chemin tout différent et à une autre heure, le promeneur revint au pied du kiosque. La dame n'y étant point, il se mit à aller et venir avec une agitation inquiète. Enfin, elle parut, et le télégraphiste sembla un peu calmé. Ces rendez-vous mystérieux présentèrent pendant quelque temps peu de variété, mais apparemment ils prirent tout à coup un caractère tragique, puisque, oubliant les précautions antérieures, le promeneur alla jusqu'à dire à la dame:

—Voulez-vous fuir?

—Et le saut-de-loup? Et ce costume? répliqua-t-elle, en montrant qu'elle était en robe de chambre et en pantoufles, sans même un chapeau de jardin.

Le promeneur insista, promit d'amoindrir la difficulté en se portant lui-même au fond du saut-de-loup, au risque de se déchirer les mains aux acacias qui le garnissaient, dans le but de soutenir les pieds de la dame pour lui faciliter la descente.

Mais la dame ajourna cette proposition, qui lui semblait désespérée. Il y eut cependant, par un échange de missives nouvelles, quelque chose de convenu pour un jour suivant.

Ce jour-là, la dame se présenta au kiosque, vers le déclin du soleil. Elle était en habit de ville, mais fort simplement vêtue. Elle commença par jeter au promeneur, qui était naturellement à son poste, un fort léger sac de nuit; puis, ayant regardé une dernière fois autour d'elle et n'ayant vu personne, elle vint à pas lents et d'un air distrait jusqu'au bord du saut-de-loup.

Tout à coup elle s'y assit, les pieds pendants au dehors. De son côté, le promeneur s'était laissé couler sous les acacias du fossé, et il se tenait plaqué à la muraille et les bras étendus au-dessus de sa tête pour soutenir la fugitive, lorsqu'en se retournant, pour se retenir aux branches d'un arbre du parc, la dame s'arrêta soudain en poussant un léger cri.

Aussitôt son mystérieux ami disparut derrière le buisson le plus rapproché du fossé.

Au moment de remonter dans le champ, et comme il s'assurait que la dame Etait tranquillement rétablie dans le kiosque, le galop d'un chien fit bruire les broussailles du fond du saut-de-loup.

L'étranger se mit en défense contre une attaque possible de l'animal, mais en levant les yeux à cinquante mètres du kiosque, et droit en face de lui, il vit, se tenant debout d'un air narquois, le maître-valet, qui formait la garde du château et qui semblait attendre, sans ouvrir la bouche, à quel parti allait s'arrêter le délinquant.

Le chien, n'osant attaquer sans doute, se contenta d'aboiements furieux, et le promeneur, assis paisiblement en apparence sur le bord opposé et un long couteau ouvert dans la main, se borna à dire, avec une nuance de hauteur, au domestique:

—Voulez-vous rappeler ce chien?

—Il fait son devoir, objecta le valet sur le même ton.
Que cherchiez-vous dans ce fossé? C'est ici une propriété close.
—Il m'en souviendra, riposta l'autre, qui, s'installant commodément sur le revers du saut-de-loup, au lieu de continuer sa retraite, affecta de tirer un livre de sa poche et de continuer une lecture, tandis que le chien aboyait toujours.

En présence de cette attitude, le domestique dut se taire et il rappela le chien, dont l'intervention n'avait plus d'objet.

Quand le chien et l'homme se furent éloignés, l'ami de la châtelaine s'assura que la paix de cette dernière, toujours assise dans le kiosque, n'avait pas été matériellement troublée, et il reprit à pas lents sa promenade, en jetant à la dame un adieu mimique qui signifiait: Au revoir! à bientôt!

La journée ne devait pas finir sur cet incident.

La nuit était tout à fait venue.

L'entomologiste rentra chez lui sans hâter le pas et il trouva sa femme un peu inquiète de sa longue absence; mais son visage était si calme et le bocal aux insectes si bien rempli, que toute explication devenait inutile. Cependant il ne vida point sa gibecière devant sa compagne. Elle renfermait un paquet qui ne lui appartenait point et qu'il eut hâte de dérober à la curiosité comme aux questions que cet objet pourrait faire naître.

Soit qu'il eût omis de le rendre, soit qu'il n'eût pas jugé à propos de le faire, de peur d'attirer de nouveau sur lui l'attention, il le cacha dans sa propre chambre et il passa dans la salle à manger pour le repas du soir.

En même temps revenait de Paris le châtelain du Plessis-Piquet, ce jaloux qui faisait exercer sur sa femme une si étroite surveillance. Après quelques mots échangés avec le maître-valet, cet Othello ne se coucha point sans avoir parcouru la lisière de son parc avec une lanterne sourde. Si quelque rôdeur avait été levé à une heure où tous les habitants du Plessis ronflaient déjà à poings fermés, ce rôdeur aurait pu voir marcher lentement, le long du saut-de-loup, l'habitant du château avec sa lanterne. Il aurait pu le voir inspecter le point faible du rempart extérieur et y reconnaître la trace des pas du promeneur indiscret. Cependant ce dernier, enfoncé, à Clamart, dans une vieille bergère, parcourait ses journaux et prenait connaissance d'un billet arrivé en son absence.

L'entomologiste n'était autre que le vieil ami et le compagnon d'armes de Gustave Mayran. Le billet était du général, conviant Paul de Breuilly à venir dîner rue Bellechasse et y passer la soirée en tiers avec M. de Vermont.
On se souvient de l'entrevue des trois amis, du récit que le voyageur fit d'une chasse au gorille, et de l'insistance que Paul mettait à savoir comment on peut se défaire d'un gorille du boulevard, lorsqu'un journal tombant chez Mayran, à l'adresse du comte, rompit soudainement l'entretien et contraignit Paul à reprendre, sans plus tarder, le chemin de Clamart.

Sans doute ce brusque départ fut provoqué par des incidents nouveaux et graves; car, peu de jours après, Paul revenait chez le général, après avoir prié par un mot Adrien de Vermont de s'y rencontrer également.

Fort intrigués de cette convocation, les deux amis du comte se trouvaient réunis lorsque, ce dernier arriva rue Bellechasse.

—Messieurs, leur dit-il après leur avoir serré la main, nous nous sommes quittés l'autre jour sur la mort d'un gorille, et c'était mon tour de vous raconter une histoire. Je reprends donc la parole que vous m'aviez accordée. S'il s'agit d'une histoire toute personnelle et intime, vous n'en serez pas surpris; n'y a-t-il pas trente ans que je vis coeur à coeur avec vous?

—Il faut dire, objecta de Vermont, qu'il y a pourtant quelques lacunes involontaires dans nos biographies; car, enfin, nous sommes restés longtemps sans nous voir.

—Désormais, répondit Paul, il n'y en aura plus dans la mienne.

Et alors il leur raconta son histoire jusqu'à la visite de Berwick aux Batignolles.
Après un moment de repos, il reprit la parole pour dire à ses deux auditeurs avec plus de solennité que dans son récit précédent:

—Maintenant, mes amis, quand je vous aurai fait l'exposé de quelques faits accomplis depuis la visite du banquier, je ferai appel à vos lumières, à votre honneur, car j'ai un conseil de vie ou de mort à vous demander!

Vermont et Mayran redoublèrent d'attention, et ce fut avec une profonde Tristesse et une indignation à peine dissimulée que le comte acheva ce qui lui restait à dire.

XIV

Paul poursuivit:

—Vous avez vu que Berwick enlevait sa femme de la rue d'Anjou et la faisait disparaître, au moment où il se préparait à m'offrir un remboursement dérisoire. Le but évident qu'il s'était proposé était de la mettre dans l'impossibilité de communiquer et de s'entendre avec moi. Mais, quelle que fût la sévérité de la surveillance dont Laure était l'objet, et la défense de la laisser sortir du château, lui absent, Mme Berwick me fit passer un billet par un moyen que ses argus n'avaient pas prévu Ce fut la proximité de la route et du parc qui le lui fournit. Un facteur rural suivait le bord du saut-de-loup, et quelques mots tracés au crayon et enfermés dans une enveloppe affranchie à mon adresse furent jetés à cet homme de la même façon que ceux par lesquels elle devait plus tard correspondre avec moi. Par là, j'appris le lieu de la séquestration et son objet. Cette séquestration avait quelque chose de sinistre. Elle ne pouvait durer que si Berwick nourrissait quelque sombre dessein. Je pris immédiatement la résolution de me rapprocher de Laure. J'avais été malade. J'étais à peine remis; la comtesse trouva très naturel que Billardel, prévenu par moi, me recommandât un séjour à la campagne, et cela le plus tôt possible; aussi vis-je Blanche très empressée à favoriser ce changement d'air. Je me chargeai de découvrir, à proximité de Paris, une habitation proportionnée à nos moyens actuels, et je partis pour Clamart. J'y arrêtai, dans la journée même, le petit nid que Blanche et moi y habitons, et j'étudiai sans bruit les abords de la prison où Laure languissait avec ses propres domestiques pour geôliers. Ne pouvant me présenter chez elle, ni avoir l'air de la connaître, je dus faire un siège en règle avant de parvenir à l'apercevoir. La seule promenade qui lui fût permise, celle de son propre jardin, me la montra dolente, accablée, et ne prenant plus la peine de s'habiller pour errer dans les allées de son parc. Je ne pouvais naturellement lui écrire, et elle était bien éloignée de me croire là. Enfin, un jour, nos regards se rencontrèrent d'un côté à l'autre du large fossé qui la séparait du monde, et nous pûmes reprendre la conversation. Je lui fis connaître la démarche de son mari pour me rendre une somme considérable dont il feignait de croire qu'il n'avait été délivré aucun reçu... Laure comprit tout de suite que c'était un moyen employé par Berwick de me faire avouer ma complicité dans cette affaire; mais je la rassurai en lui disant dans quels termes j'avais répondu. J'ajoutai que, peu de jours après, j'avais fait savoir à Berwick le refus d'une tierce personne, auteur du versement des trois cent mille francs, d'entrer en arrangement avec lui.

—Vous avez bien fait, me dit Laure, car si vous aviez accepté ce que M. Berwick vous proposait, nous nous serions trouvés désarmés. Il n'aurait plus gardé aucun ménagement vis-à-vis de moi.

—Ces ménagements, poursuivit Paul, ne devaient pas durer longtemps. Je ne vous raconterai pas par le menu, mes amis, mes rendez-vous avec Mme Berwick. Par eux, je fus tenu au courant de ce qui se passait dans la place. Le banquier n'avait pas obtenu de moi l'aveu de la créance, quoique bien persuadé d'ailleurs que j'étais le créancier, mais il avait appris à compter sur moi pour secourir sa femme dans les cas extrêmes. Avait-il de nouveau besoin d'argent? Cela est probable, d'après l'insistance nouvelle qu'il mît à connaître le nom du bailleur de fonds. Il eut la constance d'exposer à Laure les avantages attachés aux fameuses «parts de propriété» qu'il m'avait offertes. Il persuada même à sa femme qu'il y aurait profit pour elle à accepter de ces parts de propriété, en échange du reçu des 300,000 francs. Je ne fus pas peu surpris d'entendre Mme Berwick me demander si je n'avais pas eu tort de refuser. Tout compte fait, suivant elle, ce mode de remboursement pouvait mieux valoir que le néant. Je la détrompai. Quoi qu'il en soit, Berwick, furieux de trouver sa femme aussi opposée que moi à une liquidation de la dette qui lui permettrait d'en contracter de nouvelles, eut recours au moyen des lâches: il lui donna huit jours pour déclarer le nom du prêteur, puisqu'il tenait à effectuer le remboursement; à défaut de quoi, dans un transport de colère, il lui signifia carrément qu'il la tuerait. Elle prit peur; elle le savait homme à accomplir sa menace, non avec le bruyant éclat d'un assassin vulgaire, mais avec ces précautions abominables qui, sans égarer la justice, donnent au criminel l'espoir de l'impunité. Représentez-vous cette infortunée enfermée vis-à-vis de son bourreau, dans une habitation vaste, mais presque déserte, l'indifférence et l'éloignement de la domesticité, un vide d'un demi-kilomètre entre le château et les maisons du village, et vous comprendrez ce que j'ai éprouvé jours et nuits depuis lors.

Or, j'étais avec vous, j'étais ici le surlendemain du jour où j'avais été sur le point de faire réussir l'évasion de Laure, entravée dans son accomplissement par l'apparition soudaine du valet qui garde à vue Mme Berwick. J'étais, dis-je, avec vous, quand un journal, tombant ici, le soir, au milieu de notre causerie, me révéla le subterfuge infâme auquel Berwick avait recours pour forcer mon incognito. Il me prenait à partie, dans un de ces échos à initiales transparentes dont j'étais obligé de reconnaître l'inspirateur, quoiqu'il puisse paraître invraisemblable qu'un mari mette en jeu l'honneur de sa propre femme.

Voici, au surplus, l'article en question:

«Il n'est bruit, en ce moment, dans les salons de la haute société parisienne, que d'une aventure dont Mme B..., la femme d'un banquier bien connu, aurait été l'héroïne.

«M. de B..., dont la récente et subite retraite dans un quartier excentrique a donné lieu, depuis quelque temps, à des suppositions plus ou moins fondées, poursuivait, paraît-il, Mme B... de ses assiduités. De son côté, Mme B... n'était pas insensible, malgré la différence d'âge.

«M. de B..., du reste, ancien militaire a encore fort belle prestance, malgré ses cinquante ans.

«Toujours est-il que M. B... ayant emmené sa femme dans sa propriété de C..., M. de B... les suivit et, avant hier soir, à la nuit tombante, il tentait d'opérer, de concert avec elle, l'enlèvement de la jeune femme.

«Ici commence le côté comique de l'histoire. Un chien dénonça par ses aboiements la présence d'un inconnu à un valet qui se promenait au fond du parc, et celui-ci arriva au saut-de-loup qu'il s'agissait de franchir, juste au moment où la dame allait se laisser choir aux bras de son ravisseur!

«Aussitôt alerte, tumulte, scandale, fuite de l'amant et arrivée du mari, qui trouve sa femme en toilette de voyage et prête à lever le pied. On rapporte que M. de B...., qui est marié, avait déjà opéré le sauvetage d'un sac de nuit qui contenait des objets indispensables. Nous tiendrons nos lecteurs au courant de l'aventure, et leur dirons si M. de B... est venu réclamer une récompense en rapportant au château le sac de nuit en question.»

—Que dis-tu de cela, Adrien? fit Mayran en passant à M. de Vermont le journal qu'il venait de lire.

—J'ai vu ailleurs de semblables ordures, repartit le sceptique; dans certains pays d'Amérique, cela se fait couramment et avec non moins d'effronterie.

—Cela ne se pratique pas encore avec impunité en France, repartit Paul avec emportement, et malheur à l'auteur, quel qu'il soit, de cette infamie! L'ayant lue, vous vous en souvenez, je levai brusquement la séance et je repartis pour la campagne.

Mayran, en sa qualité de général, se montrait d'autant plus froid que les situations étaient plus graves.

—Il y a ici quelqu'un en mauvaise passe, dit-il, mais qui? La réputation de Mme Berwick, dont on mettra le nom sur l'initiale incriminée. Berwick, qui évidemment ne se bat pas! Le journaliste? Il se retranchera derrière Berwick. Il excipera, comme on dit, de sa bonne foi, et si Paul pourfend le journaliste, le banquier reste debout.

—Une provocation, dit Adrien, n'atteint donc pas le coupable. Elle met Mme Berwick en cause, et elle n'expose que Paul.
—Il doit être pourtant possible de forcer Berwick à se battre, et je l'y forcerai, dussé-je le souffleter publiquement et périodiquement.

—Tu iras en correctionnelle pour voies de fait, lui dit Vermont; et devant les tribunaux le nom de ta pauvre Dulcinée sera livré en pâture aux quolibets. Est-ce là ton but? Non, évidemment.

Le général était pensif.

—Il y a, dit-il, une chose que je n'aperçois pas. Quel intérêt Berwick a-t-il à diffamer sa femme, dans une feuille publique et à provoquer, de la part de l'homme qui s'intéresse à elle, des représailles inévitables?

—Affaire de chantage, riposta M. de Vermont. Avec le tendre intérêt que notre ami porte à sa fille, il payera, pour faire taire, comme il a payé déjà pour sauver Mme Berwick d'un ignoble guet-apens!

—On n'a pas tous les jours 300,000 fr. sous la main, ajouta M. de Breuilly avec une ironique tristesse. En attendant, messieurs, continua-t-il avec emportement, les faits se réduisent à ceci: Laure est aux mains d'un assassin, d'un empoisonneur, et Laure est ma fille! Elle n'a de protecteur que moi. Je tuerai le gorille, je tuerai Berwick. Parlons seulement des voies, moyens et armes. Vous serez naturellement mes témoins, et je suis l'offensé.

—Dieu sait, dit le général, si je respecte tes sentiments, ton anxiété, ta colère. Mais voilà de ces extrémités auquel l'amour nous porte, et que, pour ma part, j'avoue n'avoir jamais connues! Et encore, s'il s'agissait de Charlotte elle-même, qui n'est plus, mais c'est de sa fille qu'il s'agit, et sa fille ne porte pas ton nom!

—C'est pourtant le seul enfant qui me reste, repartit le comte avec un sanglot dans la gorge; tu n'as pas comme moi, Gustave, perdu les deux autres!

—J'aimerais mieux pour toi, répliqua Mayran, que tu n'eusses jamais rencontré ni adopté cette enfant-là! Mais revenons à notre sujet: il y a devant nous, comme tu le dis, un gorille qui torture une femme. Une femme qui est ta fille! Il faut tuer le gorille pour la sauver. Eh bien! Nous allons au journal; nous demandons à parler à l'auteur de l'écho. On nous le nomme ou, par un scrupule que je conçois, le directeur du journal accepte la responsabilité de l'article. Nous l'examinons avec lui; il appert de là que le racontar est venu du dehors, et nous sommons le directeur d'en dénoncer l'auteur ou de se placer en face de toi. A compter de ce moment, nous avons livré deux noms que nous aurions tenu à taire; mais de quel droit irions-nous demander raison à Berwick, qui n'est pas moins outragé que vous deux? Il dira ne rien savoir.

—Berwick sait tout, allez! dit M. de Breuilly. Lui seul a pu trahir ce que lui seul sait. Le soufflet que je lui réserve n'aura pas besoin de commentaires.

—Mais alors, dit Adrien, de par ce soufflet il devient l'offensé.

—Eh que m'importe! pourvu qu'il meure de ma main! Épée, sabre de cavalerie, pistolet, carabine, tout ce qu'il voudra, tout m'est égal! Et si l'on veut, successivement avec toutes ces armes, car c'est d'un duel à mort qu'il s'agit!

—Les Américains, dit Adrien, ont une manière de trancher la difficulté: ils partent chacun avec une carabine chargée, de deux points opposés d'une forêt, et ils vont devant eux jusqu'à ce qu'ils se rencontrent. Le premier, qui aperçoit l'autre lui envoie une balle dans la tête et tout est dit.

—Cela, objecta le général, dans nos idées françaises, ressemblerait fort à un assassinat, vu l'absence de témoins. Un braconnier à l'affût tirant sur un garde ne procède pas autrement.

—Soyons sérieux, reprit Paul; le duel sera tout ce que vous voudrez, français, américain ou allemand, pourvu qu'il ait lieu. Dictez-en les conditions, je m'y range par avance.

Mayran, voyant à quel paroxysme de fureur Paul était graduellement arrivé, lui dit alors avec la douceur et la fermeté d'un homme à qui son grade assure partout la préséance:

—Veux-tu t'écarter un moment pour laisser à Adrien et à moi la possibilité d'échanger quelques mots à ce sujet?

—De grand coeur, répondit M. de Breuilly; je vais passer un moment dans la salle de billard et attendre vos conclusions.

A ces mots il sortit et l'on entendit rouler furieusement les billes sur le tapis vert.

—Paul, dit Adrien au général, se croit déjà en face de l'ennemi.

Mayran secoua la tête, et les deux hommes se parlèrent quelque temps à Voix basse.
Tout à coup, le général ouvrit la porte de la salle de billard et, suivi de M. de Vermont, il dit à M. de Breuilly:

—Paul, tu nous as pris pour arbitres; tu as accepté notre décision par avance; eh bien! ce duel est tout bonnement impossible, il n'aura pas lieu.

Le comte parut d'abord atterré, puis il dit:

—Impossible n'est pas français, il s'agit d'un père qui veut venger et sauver sa fille.

—Eh bien! répliqua le général, c'est sur elle et sur toi que tu déchargerais ton arme, tu n'atteindrais pas Berwick.

—Si tu frappes Berwick au visage, ajouta M. de Vermont, tu produis inévitablement un scandale, car, bâti comme il est, au lieu de riposter, il ira se plaindre, et alors, c'est Mme Berwick qui aura reçu le soufflet.

Par respect pour l'amitié, Paul baissa la tête; mais il ne sortit plus de sa bouche un mot qui pût faire penser à ses deux amis qu'il avait ratifié leur sentence.

A la suite de cette conversation, le comte retourna à Clamart; mais, dès que Mme de Breuilly se fut endormie et qu'Annette se fût retirée dans sa chambre, il sortit, armé, pour aller rôder, le reste de la nuit, autour du château.

—A tout événement, pensa-t-il, je serai là.

XV

Il était entre onze heures et minuit lorsque Berwick, à l'insu de sa femme et de ses gens, sortit du château par une porte-fenêtre du salon, en portant une lanterne sourde et son fusil de chasse passé par la bretelle sur son épaule droite.

Il appela le chien de garde et tous deux, furetant, commencèrent en silence le tour complet de la propriété. Ces rondes de Berwick étaient assez habituelles. C'était le seul moment où il pût vérifier sans témoins l'état des clôtures, la trace des pas dans le sable, et les trouées dans le taillis.

La plus grande partie du parc était bordée par le saut-de-loup. Ce saut-de-loup n'était visible qu'au bord, rempli qu'il était jusqu'à fleur du sol par des arbustes épineux rasés à la faux et qui lui donnaient l'air d'une bande de pelouse. Le temps y avait, çà et là, pratiqué des trouées, et par endroits la végétation avait même disparu; mais, vu du parc, le site se trouvait dégagé partout, et le propriétaire, en se promenant n'apercevait pas ses propres limites.

Berwick s'avançait, à pas lents, tantôt à ciel ouvert, tantôt sous les groupes d'arbres de haute futaie où serpentait l'allée, mais sans s'éloigner jamais beaucoup du fossé, au bord duquel il s'arrêtait par moments, regardant le sol et les herbes avec sa lanterne.

La nuit était assez claire pour que le banquier distinguât les traces récentes du pas de sa femme et celle de son maître-valet.

Quand il fut près du kiosque, il se dirigea de ce côté, y entra, regarda si quelque papier avait été oublié là; mais il n'y trouva qu'une chaise de jardin, déplacée par la dernière personne qui s'était assise devant la table, Laure certainement.

Il ressortit du kiosque, qui était le point le plus éloigné du château, et, se souvenant que ce point avait été choisi par l'assaillant pour tenter l'assaut, il examina longuement les buissons et jusqu'aux pierres du mur.

De ce point du parc, le château était naturellement invisible; autrement, M. de Breuilly et Laure ne l'auraient pas choisi pour une évasion. Un petit bois interceptait l'horizon, et ce n'est qu'au détour de ce bois que Berwick s'arrêta de nouveau et regarda la façade de son habitation. Toutes les fenêtres étaient obscures, excepté deux, l'une, celle de la chambre de Mme Berwick; l'autre, celle de sa propre chambre, où il avait, à dessin, laissé en sortant une lampe allumée.

Du côté de la route un coin de haie, flanqué d'un saule et de quelques noisetiers, qui formaient une tache obscure. Le chien aspira l'air dans cette direction et il commença à gronder, mais les yeux de Berwick ne parvenaient pas à sonder ce fourré. Le chien persévérant dans son inquiétude, le banquier, par un mouvement instinctif, posa sa lanterne à terre et arma son fusil.

Alors une silhouette foncée, que Berwick avait prise pour celle d'un tronc de saule, parut mouvoir deux de ses branches. Le craquement léger d'une batterie que l'on arme répondit à la démonstration belliqueuse de Berwick, et le chien, une patte levée, tomba définitivement en arrêt.

Il éventait fortement dans la direction de la haie, et grondait toujours, mais très bas, quoique plus rageusement.

Rien ne ressemble au craquement d'une batterie comme un craquement de branches dans un vieux arbre, à la moindre brise; cependant, vu l'attitude du chien, le doute n'était guère permis, il y avait là quelqu'un.

—Qui va là? cria Berwick d'une voix faible, mais distincte.

Pas de réponse.

Alors, de peur de s'aventurer inconsidérément, le banquier ramassa une Petite pierre et la lança par-dessus le saut-de-loup, dans la direction du fourré.

La silhouette fit un mouvement, le chien aboya, et son maître répéta la question: «Qui va là?» mais, cette fois, d'un ton plus impérieux.

—L'ennemi! répondit cette fois le fantôme, dont le visage s'accentua au clair de lune; car il avait fait un pas en avant, sur la provocation de Berwick, et la forme de son corps se dessinait maintenant sur la pâleur de l'horizon nocturne.

Sans donner au banquier stupéfait le temps de faire un seul mouvement, M. de Breuilly avait épaulé son fusil et mis en joue son adversaire.
—Ne bougez pas, monsieur Berwick! lui cria-t-il, et alors je ne tirerai pas. Seulement, déposez votre fusil!

Le banquier obéit machinalement à cette injonction terrible en couchant à terre son fusil armé.

Paul abaissa son arme, mais en la conservant à la main.

—Je suis heureux, reprit le comte, d'un hasard qui me procure un entretien décisif avec vous. Vous reconnaissez-vous l'auteur d'un écho publié dans un journal d'avant-hier et qui met en scène madame Berwick, vous et moi?

—Non! répondit le banquier, et j'ignore ce dont vous me parlez, monsieur le comte!

—Vous mentez! dit Paul, et vous m'en rendrez raison!

—Me battre avec vous? Ce serait une singulière façon de reconnaître un signalé service que vous m'avez rendu! Mais ne vous ai-je pas moi-même offert la restitution d'une somme que vous ne me réclamiez pas, et de laquelle il n'existe aucune reconnaissance écrite, ni aucune trace?

—Vous mentez! répéta de Breuilly; cette preuve existe, et si elle n'existait pas, vous ne m'auriez rien offert du tout! Vous ne l'avez fait qu'après avoir épuisé tous les moyens, l'obsession, la menace, la violence même, et la violence envers une femme!

—Mais, monsieur, cette femme est ma femme!

—Cette femme est ma fille! riposta le Comte. J'ai considéré comme un devoir de la sauver du déshonneur au prix de ma fortune. Aujourd'hui je considère encore comme un devoir de la délivrer de son bourreau, même au prix de ma vie. L'un de nous est de trop ici-bas; nous allons régler cette affaire à l'instant même!

—Mais c'est un duel sans témoins, un assassinat!

—Pardon, monsieur Berwick, dans un assassinat les deux adversaires ne sont pas pareillement armés et prévenus. Lavons donc notre linge sale en famille! Nous avons pour cela tout ce qu'il faut! Il est minuit quarante-cinq, ajouta-t-il en consultant rapidement sa montre. Sur le coup d'une heure, aux cloches du

Plessis-Piquet, nous épaulerons et le premier prêt tirera! Reprenez votre fusil et tenez-vous en garde! Si vous essayez de fuir, vous êtes un homme mort!

Dompté par la volonté de M. de Breuilly, Berwick, déjà plus mort que vif, Ramassa son fusil.
Juste à ce moment, l'horloge de l'église sonna au loin les trois quarts....

A minuit, Mme de Breuilly se réveilla; elle regarda la pendule, après s'être assurée que son mari était absent; il était donc ressorti? Pourquoi? Elle fut atterrée, car jamais il n'était arrivé pareille chose. Rien n'annonçait, dans l'état de la chambre de Paul, qu'il fût sorti précipitamment. Tous les objets étaient à leur place accoutumée. Non, cependant! Le fusil de chasse, le beau Devismes de M. de Breuilly n'était point suspendu à des cornes de chamois, entre les deux fenêtres! Paul était parti en costume de chasseur, après être revenu de Paris en costume de ville. Cette transformation et ce départ s'étaient opérés entre dix heures et demie, heure de l'arrivée du train, et le moment où Blanche avait rouvert les yeux.

Dans son trouble, elle appela Annette. Annette ne savait rien, n'ayant rien entendu. Elle se releva aussi. Les deux femmes cherchèrent ensemble. Paul avait fermé la porte de la maisonnette et emporté la clef. Mme de Breuilly pouvait sortir, en cas ne nécessité, par une des fenêtres du rez-de-chaussée; mais son mari avait prémédité une absence de quelque durée, sans quoi, dans ce village profondément endormi, il aurait, pour une absence de quelques instants seulement, laissé la clef dans la serrure, et la porte fermée au pêne.

Enfin, Paul n'était pas dans le jardin.

Ces constatations rapides furent opérées en silence.

A une heure du matin, M. de Breuilly n'étant, pas de retour Mme de Breuilly, qui s'était habillée, partait.
Pour aller où?

Pour suivre le premier des chemins que prenait habituellement son mari dans ses promenades. Mais l'un l'aurait conduite à Fleury, l'autre dans la plaine haute du Plessis-Piquet, deux directions opposées.

Annette accompagnait sa maîtresse. Elles se consultèrent. La situation était inquiétante. La lune était levée. Sans savoir pourquoi, Blanche et Annette marchèrent dans la lumière, plutôt que de s'enfouir dans l'ombre.

Elles arrivèrent ainsi, en peu de temps, mais en un siècle selon la mesure de leur impatience, sur la lisière du bois, du côté du Plessis.

Là, elles parcoururent la plaine d'un regard attentif. Il n'y avait personne. Cependant un chien hurlait dans l'éloignement, sur la gauche. Elles marchèrent de ce côté.

À quelque distance du château, elles remarquèrent une certaine agitation: des lumières couraient dans les fenêtres et dans le parc, chose inexplicable à pareille heure.

L'une de ces lumières longeait rapidement le saut-de-loup; elle était portée par une jeune femme qui précédait plusieurs personnes. A peine vêtue, les cheveux en désordre et flottants sur ses épaules, elle avançait, l'oeil en terre, fouillant du regard les herbes et les buissons à droite et à gauche.

Blanche, qui n'apercevait que par le dos cette femme éperdue, suivit, avec Annette, le sentier extérieur au saut-de-loup, comme si le même danger, le même malheur enchaînait ses pas à ceux de ces chercheurs enfiévrés. Par moments, ils disparaissaient derrière les arbres, mais pour reparaître bientôt, marchant toujours le long de la clôture et guidés par un chien, qui semblait, lui, savoir mieux que personne où il allait.

Tout à coup le chien s'arrêta. Les personnes attachées à ses pas firent halte et formèrent une sorte de cercle. Il y avait à terre un homme tombé sur la face. Un fusil était encore entre ses mains et couché sous lui en travers. Des domestiques le placèrent sur le dos, tandis que la jeune femme avançait la lumière vers le visage de la victime.

—Mort! murmurèrent les assistants d'une seule voix.

—Mort! en êtes-vous sûrs? demanda la jeune femme, qui s'était retournée pour interroger les personnes qui l'accompagnaient.

En ce moment, le visage de l'inconnue fit face à Blanche, glacée de terreur, qui se tenait immobile avec Annette, sur le chemin bordant le saut-de-loup.

Ce visage pâle fit frissonner Mme de Breuilly. C'était le même qu'au
Bois, du temps d'une jalousie naissante, son mari avait salué, dans le
moment où la flèche du landau bleu menaçait de renverser le coupé de
Blanche.

C'était le même visage qui s'était offert à elle rue de la Condamine. C'était la
main de cette femme qui lui avait tendu une carte sur laquelle on lisait: Laure
Widmer.

Un pressentiment sinistre concentra sur le champ l'attention de Blanche sur
les traits du mort. Cet homme replet et presque chauve n'était pas M. de
Breuilly, mais il avait un trou noir entre les yeux.

La façon dont était tombé son fusil marquait assez qu'il ne s'était pas tué lui-
même.

Le maître-valet dit:

—On a tiré sur monsieur de l'autre côté du chemin. Les chiens sont abattus, le
fusil est déchargé, donc monsieur s'est défendu.

—Il s'est défendu? répéta la jeune femme, qui était tombée à genoux à côté du
cadavre. Il a tiré sur... Ah! mon Dieu! Et rejetant ses cheveux en arrière, elle se
redressa comme par une détente:

—Il faut que je sorte d'ici! que je voie!...

Mais, comme il n'y avait nulle porte à proximité, elle s'élança vers le saut-de-
loup, sans s'inquiéter de l'existence du fossé et, alerte comme un chevreuil, elle
se laissa glisser le long du mur, courut à travers les broussailles jusqu'à
l'éboulis par où elle avait déjà dû s'enfuir, sans s'inquiéter des lambeaux de
robe qu'elle laissait aux épines du chemin, et elle reparut sur la crête opposée;
puis, elle revint, en courant, en face de l'endroit où les domestiques étaient
occupés à relever, pour l'emporter, le corps de leur maître.

—Qui cherchez-vous? s'écria Blanche en se jetant au devant de Mme
Berwick.
—Venez, cherchons ensemble! fut l'unique réponse de la jeune femme.

Tout à coup Blanche, Annette et Laure poussèrent un cri d'horreur:

—Mon mari! Mon maître! Mon père!

C'était Paul de Breuilly qu'elles venaient de reconnaître, respirant encore, malgré une blessure à la poitrine d'où le sang coulait à flots. Ses courtes moustaches encore blondes, sa barbiche pointue, ses cheveux coupés courts, enfin sa fière attitude jusque dans les défaillances suprêmes, lui donnaient une vague ressemblance avec le duc de Guise, dans le tableau de Paul Delaroche.

Annette souleva le buste de son maître, qui ouvrit les yeux et sembla reprendre une sorte de vie en voyant réunis les deux êtres qu'il chérissait.

L'oeil égaré, la main fiévreuse, Mme de Breuilly cherchait, avec son mouchoir à arrêter le sang de la blessure.

Laure s'arrachait les cheveux et, se jetant sur Paul à corps perdu, elle l'appelait des noms les plus tendres....

—Mais qui êtes-vous donc enfin, madame? s'écria Blanche, pour qui ce partage de sa douleur était trop cruel, en repoussant brusquement la femme de Berwick.

—Votre fille! articula le blessé; quoi qu'il advienne, aimez-la bien!...

Les deux femmes se regardèrent; la mère comprit tout, pardonna tout! Elle sentit s'enfuir ses défiances et ses soupçons et, dans un élan sublime, elle ouvrit ses bras à la fille de Charlotte, qui y tomba en gémissant!

Paris, 1883.

LE GORILLE FIN

LOIN DES YEUX LOIN DU COEUR

OSCAR MÉTÉNIER

Avril 1889.

Imprimerie E. Mazereau, Tours.

Un matin du mois de septembre 1879, le capitaine Villefort descendit de cheval sur la place du Château, à Saint-Germain-en-Laye. Il jeta la bride à son ordonnance.

—Conduis les chevaux à l'écurie, et reviens me trouver ici.

Il désignait la terrasse d'un café qui faisait face à l'église.

—Bien, mon capitaine!

Et tandis que le chasseur s'éloignait au grand trot, le capitaine alla s'attabler au café qu'il avait désigné, puis il parut s'absorber dans l'observation des fidèles qui défilaient devant lui pour se rendre à l'église.

C'était un dimanche; les cloches sonnaient à pleines volées. Saint-Germain est une vraie ville de province, plantée à peu de kilomètres de Paris. Excepté à l'heure des trains, en temps ordinaire, les rues sont assez mornes, mais, ce jour-là, tout Saint-Germain bat le pavé.

Une demi-heure après, l'ordonnance était de retour.

—Promène-toi sur la place, lui dit l'officier, tout à l'heure j'aurai besoin de toi.

Le brosseur fit le salut militaire, et se retira.

Quelques minutes s'étaient à peine écoulées, qu'un groupe déboucha de la place et parut requérir toute l'attention du capitaine. Un vieillard à cheveux blancs donnait le bras à une dame âgée. Près d'eux marchait une jeune fille, simplement quoique fort élégamment vêtue et portant un livre d'Heures.

Ces trois personnages étaient suivis à quelques pas d'un vieux domestique.

—Bonnivard! appela le capitaine.

L'ordonnance accourut.

—Tu vois ce vieux bonhomme qui suit ses maîtres!

—Oui, mon capitaine.

—Tu vas l'accoster, lui demander s'il ne s'appelle pas François, et s'il n'est pas au service de monsieur de Sermaise.

—Bien, mon capitaine!

—Il te répondra: oui, alors tu lui diras que l'officier dont tu es l'ordonnance désirerait le voir à l'issue de la messe. S'il consent à se rendre à ton invitation, tu l'attendras et tu le conduiras chez moi, rue Saint-Thomas, numéro 2.

—Et s'il demande de la part de qui je viens?

—Tu ne répondras rien, répliqua vivement le capitaine, ou plutôt tu lui diras simplement: de la part d'un officier qui connaît ses maîtres. Pas d'indiscrétion!

—Compris, mon capitaine!

L'ordonnance cligna de l'oeil d'un air entendu, et gravit rapidement Les degrés de l'église. C'était un garçon précieux que Bonnivard. Né sur les hauteurs de Belle-ville, il réalisait le type du gamin de Paris. Successivement sculpteur sur bois, figurant, puis artiste dans les Petits théâtres de banlieue, le hasard de la circonscription avait fait de lui, à vingt et un ans, un chasseur à cheval. Amoureux de sa liberté, dédaigneux des honneurs, il avait préféré passer tranquillement son congé au service d'un officier célibataire, plutôt que de se plier aux exigences quotidiennes du métier militaire. Piètre soldat, mais excellent brosseur, très apprécié de son capitaine, dont il avait acquis la confiance entière.

Sûr que la mission dont il l'avait chargé serait exactement remplie, l'officier rentra chez lui, très soucieux. Le capitaine Villefort avait trente-cinq ans; son abord, très dur, décourageait par une froideur invincible. La couleur foncée de ses cheveux coupés ras, un peu grisonnants sur les tempes, ajoutait encore à l'austérité de sa mine. Il était depuis peu de temps remonté dans son appartement, quand Bonnivard arriva ramenant le vieux domestique.

Introduit aussitôt, François s'arrêta, rendu muet par l'émotion, sur le seuil de la porte.

—Ah! monsieur Pierre! fit-il d'une voix étranglée, j'avais comme un pressentiment...

—Mais oui, Pierre, fit en souriant le capitaine qui tendit en même temps la main au vieux serviteur, tu me reconnais donc encore, toi?

—Si je vous reconnais, moi qui vous ai élevé!

—Une éducation qui ne t'a guère réussi.

—Ah! Pouvez-vous dire, monsieur Pierre? Vous avez bien quelques défauts, mais aussi de grandes qualités.

—Des qualités, moi? fit le capitaine d'un air étonné. Je t'ai pourtant fait assez enrager ... et même souffrir.

François secoua la tête.

—Tout cela n'est rien, répliqua-t-il.

—Tu es un homme antique, mon vieux François. Alors, sincèrement, tu es content de me revoir?

—Si je suis content!... dès l'instant que ce n'est pas à la maison.

—J'y serais donc mal reçu? demanda le capitaine, d'un ton plein d'amertume.

—Je n'ai pas dit cela, monsieur Pierre.

Il y eut un moment de silence que François rompit le premier.

—Alors, vous n'êtes plus à Lunéville?

—J'y étais encore, il n'y a pas huit jours ... mais j'ai été changé... Maintenant, écoute, François, donne-moi ta parole de ne pas dire à la maison que tu m'as rencontré.

—Oui, monsieur, à moins que votre oncle, monsieur de Sermaise, ne me le demande, car je lui dirais la vérité.

—Oh! mon oncle ne doit pas parler de moi bien souvent.

De nouveau François garda le silence.

—Et maintenant, dit brusquement le capitaine, quelle est cette demoiselle que j'ai vu entrer avec vous à l'église tout à l'heure?

—Comment se fait-il que vous ne me parliez pas d'abord de madame Villefort, votre mère?
—J'ai eu de ses nouvelles dernièrement, avant mon départ de Lunéville.

—C'est une longue histoire, monsieur Pierre. Je pensais que vous le saviez ... puisque madame votre mère vous écrit quelquefois.

—Deux ou trois fois par an ... mais j'ignorais l'existence de cette demoiselle.

—Pour que madame ne vous ai rien dit, il faut qu'elle ait ses raisons, et alors moi, qui suis au service de madame....

—Et plus au mien! interrompit Villefort.

—Je ne parle pas non plus de mademoiselle, acheva François.

—Il y a donc quelque chose à reprendre? Autrement, tu ne te gênerais pas pour parler.

—Il n'y à rien à reprendre dans un secret; ce qui serait à reprendre, ce serait de le trahir.

—Ainsi, mademoiselle est un secret. Tu es discret, c'est bien. Je m'arrangerai autrement pouf apprendre ce que je désire savoir. Au revoir, mon vieux François, sans rancune.

—Monsieur Pierre sait bien que je suis à sa disposition entière pour tout ce qu'il me sera possible de faire pour lui.

—J'y compte bien.

Et ayant de nouveau serré la main du vieux serviteur, le capitaine Villefort le reconduisit jusqu'à la porte.

Après cet entretien qui, en somme, ne lui apprenait rien, Pierre Villefort resta rêveur; il songea à son passé, à cette jeunesse orageuse qui lui avait aliéné l'affection des siens, à l'exception peut-être de celle de l'homme qu'il avait fait le plus souffrir, après ses parents, le vieux François.

Le capitaine Villefort avait perdu son père très jeune. Sa nature ombrageuse et rebelle avait refusé de se plier sous le joug, pourtant très doux, de M. de Sermaise. Après des années de dissipation, il avait rompu avec éclat et, laissant plongés dans le deuil les deux êtres qu'il eût dû chérir, son oncle et sa mère, il s'était engagé.

A la maison Sermaise, où il eût pu vivre heureux, on avait retourné sans une plainte contre la muraille le portrait de l'ingrat, attendant, pour lui faire reprendre sa place, le retour de l'enfant prodigue. Par bonheur, la vie rude du régiment avait apaisé le tempérament fougueux de Pierre Villefort. Il était resté sombre, taciturne, se liant difficilement; devenu officier, il n'avait jamais eu avec ses camarades que des relations polies, point d'intimité. A des reprises différentes, il s'était senti au coeur le désir de voir M. de Sermaise, d'embrasser sa mère. Son orgueil s'était toujours révolté devant l'acte de soumission qu'il eût fallu faire, et voilà que le jour où, vaincu enfin, complètement amendé, il revenait demander le pardon des injures passées, il trouvait sa place prise, au foyer de sa famille, et par une étrangère!

Car, il n'en pouvait douter, cette jeune fille, que François appelait mademoiselle, sur le compte de laquelle il refusait de s'expliquer, ne pouvait être qu'une enfant d'adoption, chez qui les deux vieillards avaient concentré l'affection qui lui était due, à lui, Villefort! Sans quoi pourquoi ces réticences?

Le capitaine se perdait en conjectures; il se promit de savoir, per fas et nefas, qui était cette intruse, mais pendant plusieurs jours, son esprit hésitant et orgueilleux ne s'arrêta à aucune résolution.

Le dimanche suivant, le capitaine Villefort monta à cheval, et vers onze heures, il se trouva devant l'église, au moment où les fidèles sortaient à pas lents de la grand'messe.

Il put alors voir de face et fort distinctement sa mère, son oncle, la jeune personne qui les accompagnait, et derrière eux, le vieux François, sans leur laisser au grand trot qu'il menait, d'autre loisir que celui de s'écarter sur son passage. Il n'en fut pas de même de François. Les yeux des deux hommes se rencontrèrent, mais Pierre détourna la tête et François baissa la sienne.

Tout cela fut l'affaire d'une minute.

Pierre Villefort avait vu la demoiselle, elle lui parut avoir dix-huit ans et être d'agréable tournure. Plus elle lui parut jolie, plus il la détestait d'instinct.

En jeune et habile commère qu'elle était, n'avait-elle pas su, par des manoeuvres savantes, se faire un nid dans la maison, sa maison à lui, où il avait perdu droit de cité?

Toutes les colères, tous les sentiments justes ou injustes qui avaient séparé Pierre des siens bouillonnaient à cette heure en lui, et c'était sur l'usurpatrice que ces colères allaient tomber?

Elle était pieuse ... en apparence, mais il ne manque pas d'hypocrites! Et l'hypocrisie était de mise avec des dévots comme M. de Sermaise et sa soeur.

Donc le capitaine Villefort n'eut plus qu'une pensée: la vengeance.

Il résolut à tout prix de faire l'autopsie morale de l'inconnue, afin de la démolir ensuite plus sûrement.

Dans la course désordonnée à laquelle il se livra sur les collines des environs, en sortant des murs de Saint-Germain, il atteignit sans le savoir la Porte Jaune qui est un des accès de la forêt de Marly. Quand il se fut engagé un peu avant dans ces routes étroites et montueuses, capitonnées d'herbes, de bruyères, et sur lesquelles des chênes altiers projettent l'ombre de leurs obliques rameaux, il attacha son cheval à l'angle du premier carrefour venu et, le dos appuyé contre les racines d'un tronc gigantesque, enfouies sous des gerbes de fougères de six pieds de haut, au milieu de la paix profonde du bois, il fit un retour sur lui-même et songea. Après tout, si c'était une parente éloignée, recueillie par devoir autant que par inclination, l'attentat commis au détriment de Pierre perdait de son importance. En somme, c'était lui qui, à vingt ans, avait fui pour s'engager, le toit maternel, et si le temps n'avait fait qu'aggraver la situation, l'inconnue n'en était pas le premier auteur. Si elle avait un droit, un prétexte quelconque de se trouver là, il restait à savoir dans quelles mesures et dans quelles vues elle en avait usé.

Propriétaire foncier, établi à Saint-Germain depuis plus de trente ans, M. de Sermaise devait y avoir un notaire. Ce notaire devait savoir bien des choses. Et, s'il était blessant pour un neveu, comme, pour son oncle, que le neveu demandât des informations sur sa propre famille à un officier ministériel, il ne l'était pour personne qu'un tiers se présentât chez ce dernier, comme s'il songeait à épouser la pupille (on pouvait lui prêter cette qualité) de M. de Sermaise.

Seulement, Pierre Villefort ne savait à qui confier cette mission délicate. Il n'avait aucun ami dans son régiment; quant à paraître lui-même, il n'y songeait pas, car il ne voulait pas se nommer, et moins encore user d'un faux nom.

Il songea bien au Frontin que le hasard lui avait fourni en la personne de son brosseur; mais il fallait alors lui faire une confidence devant laquelle l'orgueil légitime de Pierre se cabrait.

Fallait-il attendre que la glace fût rompue entre lui et les officiers De son régiment pour choisir entre eux un alter ego qui ferait la commission? Mais cela pouvait durer et la vengeance est impatiente, quoique moins impatiente que l'amour.

—Allons, conclut Villefort après un temps de réflexion, je crois décidément qu'en fait d'ami je ferai bien de m'en tenir à Bonnivard. Mon drôle est intelligent. Pour un peu d'argent, il marchera et parlera comme je voudrai.

Un matin que le capitaine fumait sa pipe dans sa chambre, tandis que son Ordonnance ajustait sur un fauteuil l'uniforme bien brossé et les armes bien astiquées de son chef:

—Bonnivard, dit Villefort, j'ai une mission à te confier.

—A votre service, mon capitaine.

—C'est délicat. Je voudrais avoir des informations positives sur une jeune personne de cette ville, et je ne peux pas les prendre moi-même. Tu vas aller chez un notaire et tu te présenteras comme pour prendre des renseignements sur une personne que tu désirerais épouser.

La famille de Sermaise habite rue de Mantes, au coin de la rue Trompette. Ce que je veux savoir, c'est le nom d'une demoiselle qui demeure dans cette maison et qui ne doit avoir aucun lien de parenté avec la famille de Sermaise. Bref, tu feras attention à tout ce que le notaire te dira. Tu remarqueras, si tu le peux, ce qu'il évitera de te dire et tu me rendras du tout un compte scrupuleux. Si je suis content de toi, tu auras un louis.

—Avez-vous souvent de ces commissions-là, mon capitaine!

Villefort ne répondit rien; puis, après un tour de chambre:

—A propos, il se peut que le notaire te parle d'une dame Villefort, parente de M. de Sermaise, et ma parente éloignée. Il n'y a pas à insister là-dessus.

—Compris, mon capitaine.

—C'est très bien, et tâche de ne pas oublier ton rôle.

—Pas de danger, mon capitaine! Je suis artiste, moi! Ah! si vous aviez pu me voir dans le Roman d'un jeune homme pauvre, de M. Octave Feuillet, aux Folies-Belleville!

Le brosseur s'esquiva; il se brossa les cheveux avec une raie au milieu du front, cira ses moustaches, et reparaissant devant le capitaine en pantalon de toile et en manches de chemises:

—Et le costume de mon nouvel emploi, mon capitaine?

Villefort tira de son porte-manteau un complet d'été et des bottines.

—Il ne me manque plus maintenant que des gants et un stick, mon capitaine.

—Tu n'as pas tes gants d'ordonnance?

—Jamais de la vie! J'aurais l'air d'un fantassin déguisé. Des gants de Suède, s'il vous plaît!

Villefort souscrivit à cette fantaisie en souriant, et considéra un instant le chasseur à cheval transformé en pékin aisé.

—Le notaire de la famille de Sermaise doit être Me Balaru, demeurant rue de Pontoise. Maintenant file, et ne flâne pas trop en chemin.

—Je ne tiens pas à rencontrer le colonel dans ce costume!

—Je vais donc enfin les tenir tous, pensa Villefort, y compris les ficelles avec lesquelles cette aventurière les fait tous mouvoir.

Comme il se berçait de cette amère espérance, Bonnivard reparut d'un air assez satisfait.

—Réponse du notaire, mon capitaine:

«Comme dépositaire des intérêts de l'honorable M. de Sermaise, il ne m'appartient, monsieur, de vous répondre que ce que tout le monde peut savoir. M. de Sermaise vit dans son immeuble avec sa soeur veuve et ils ont près d'eux une jeune orpheline alsacienne, Mlle Soultznach, recueillie d'abord par l'asile du Vésinet, puis, adoptée par M. de Sermaise, qui, moyennant une adoption régulière conforme aux articles 344 et suivants du code Napoléon, lui a conféré le droit de signer et de se faire appeler Geneviève de Sermaise. L'orpheline ainsi adoptée aura en se mariant, si elle se marie, ce qu'il plaira à son bienfaiteur de lui donner en dot, s'il juge à propos de lui donner quelque chose. Toutes ces personnes jouissent d'une considération exceptionnelle et méritée. Je suis votre très humble.»

—C'est du La Palisse tout pur, pensa Villefort, en secouant la cendre de sa pipe sur le bord de la cheminée. Maintenant, rends-moi mes effets, voici ton louis.

Dès qu'il fut seul, il prit un code, qui était du nombre infiniment restreint des livres de sa bibliothèque et il médita profondément sur le titre de l'adoption. Pierre était bien l'héritier de sa mère qui était presque pauvre, mais il n'était pas l'héritier réservataire de son oncle qui pouvait disposer de toute sa fortune, comme bon lui semblait. Au contraire, l'adoption de Geneviève par M. de Sermaise, conférant à la jeune fille le droit d'enfant légitime, si M. de Sermaise entendait attribuer à son neveu Pierre la quotité disponible, soit la moitié de son bien, Geneviève était héritière réservatrice et de plein droit de l'autre moitié.

—Et voilà, se dit le capitaine, ce que j'ai gagné à m'engager par un coup de tête! J'ai perdu cent cinquante mille francs! On m'a fabriqué de toutes pièces une pseudo-cousine et, pour me récupérer, il ne me resterait qu'à épouser la susdite! Une lâcheté à laquelle je ne me résoudrai jamais! Ou bien, dans mon désir de m'assurer la quotité disponible de l'héritage de mon oncle, il me faudrait feindre des sentiments que je n'ai pas. Je me sens aussi incapable de cette lâcheté que de la première; j'ai vécu de ma solde et de quelques bribes de l'avoir paternel, je continuerai! Mais, auparavant, j'aurai pulvérisé Geneviève Soultznach! J'aurai acheté assez cher ce dernier plaisir!

A quelque temps de là, c'est-à-dire vers la mi-octobre et comme Villefort couvait sa haine, épiant une occasion favorable pour l'assouvir, son brosseur lui fit une ouverture assez originale. Les vingt francs l'avaient mis en goût.

—Mon capitaine, dit-il, un jour que Pierre n'était pas trop houleux, si je ne craignais pas de déplaire à mon capitaine, je lui dirais que, par une circonstance du petit dieu Cupidon, je me trouve avoir des intelligences dans la place.

—Quelle place? demanda brusquement Villefort.

—La place assiégée, rue de Mantes, au coin de la rue Trompette.

—La cuisinière sans doute? fit vivement l'officier de cavalerie.

—Naturablement? répliqua l'ordonnance.

—Et que diable ferai-je de ton intrigue avec une servante?

—Ce qu'aucun notaire ne dira, cette fille le sait et me l'a dit.

Pierre songea aussitôt que des papiers de M. de Sermaise avaient pu tomber entre les mains de cette fille et, ramené par le respect de lui-même au respect de la famille, il répliqua vertement à son brosseur:

—Il faut que cette gueuse soit bien osée, pour entretenir un soldat de secrets qu'elle vole et qui ne regardent ni toi, ni elle; elle pourrait se contenter de te faire déguster le vin de la cave, ce dont, j'imagine, elle ne se fait pas faute.

—Je mentirais, mon capitaine, si je ne convenais que le vin est bon; mais il paraît que ces personnes ont un autre enfant que Mlle de Sermaise et qu'ils seraient bien aise de le revoir....

—Quel rapport y a-t-il entre cela et moi? interrompit brutalement
Villefort.
—C'est que, à ce qu'elle m'a dit ... c'est un officier ... il serait à
Lunéville, et ... il porte le même nom que vous, mon capitaine!
Pierre maudit en cet instant la fantaisie qu'il avait eue de parler à son brosseur de M. de Sermaise, mais il était trop tard pour reprendre ses paroles.

—Un mien cousin, en effet, un parent éloigné ... je ne puis rien faire à tout cela.

Là-dessus, Pierre improvisa une commission pour son ordonnance et il le
Congédia pour être seul.
—Alors, pensa-t-il, me voilà la fable de mes subordonnés. Mon histoire, celle de ce coucou d'Alsace, court les cuisines! On fait des allusions devant moi, on ne rit pas devant moi, mais on rit quand j'ai le dos tourné. Il faut que tout cela finisse. Je ferai n'importe quelle rentrée sur la scène, pourvu que ce soit le fouet à la main! Et alors gare au nez des moqueurs?

Le même soir, un commissionnaire, qui n'était pas l'ordonnance du capitaine, remettait à François un billet de Pierre, dont celui-ci ne reconnut pas l'écriture, pour l'excellente raison que, depuis dix ans, il était devenu presque aveugle; mais, comme il tenait Geneviève en estime particulière, il lui porta le billet à lire.

Ce billet contenait ces seuls mots:

«Mon bon François, j'ai besoin de te parler. C'est demain mardi, jour de marché; passe en allant ou en revenant, rue Saint-Thomas, numéro 2. —P.V.»

François, à cette lecture, reprit le billet des mains de la demoiselle un peu plus vite que la bienséance ne le comportait,

—Cela vous chiffonne, François, de me l'avoir donné à lire.

—Il est vrai, Mademoiselle! Que Mademoiselle daigne m'excuser!

—Parce que c'est un secret à vous?

—Peut-être bien ... en effet!

—Il paraît, ajouta-t-elle, que M. Pierre est ici?

—N'en dites rien, Mademoiselle, c'est trop extraordinaire!

—Je ne vous comprends pas, François; il n'y a qu'une chose extraordinaire; c'est qu'il ne soit pas toujours ici! Ses parents seraient si heureux!

—C'est à savoir, murmura François en secouant tristement la tête.

—Enfin, vous irez, n'est-ce pas?

—Il le faut bien!

—Je suis sûre que vous l'avez déjà revu?

—Que Mademoiselle ne me questionne pas, je ne pourrais lui répondre que la vérité, et j'ai promis de ne rien dire! Mais vous ne direz rien, vous non plus, n'est-ce pas?

—C'est une conspiration, à ce que je vois!

Et la jeune fille se mit à fredonner l'air des conspirateurs de la Fille de Madame Angot et elle se retira épanouie sans s'expliquer davantage.

Le lendemain, entre huit et neuf heures, François frappait à la porte du Capitaine Villefort.
Le capitaine lui tendit la main et lui désigna une chaise; puis il s'enfonça jusqu'aux aisselles dans son fauteuil.

—François, lui dit-il sans préambule, M. de Sermaise, mon oncle, a pris à son service une fille qui vole son vin pour les soldats de la garnison...

—Cela ne me surprend pas. J'avais cru m'apercevoir de quelque chose ... des bouteilles bouchées, mais fades, fades comme si on les avait remplies d'eau. Oh! Le compte y était tout de même.

—Mais elle ne vole pas seulement le vin de l'oncle, elle fouille dans ses papiers quand vous êtes tous dehors, et elle surprend nos secrets de famille. Puis elle les redit à tel homme de mon escadron que je pourrais désigner. C'est ignoble!

—Vous me faites frémir, monsieur Pierre, c'est une fille à pendre.

—Non, mais à congédier dans une heure.

—Mais, enfin, comment pouvez-vous savoir cela, monsieur?

—Peu importe. Je n'ai pas fini. La demoiselle d'Alsace, Geneviève Soultznach, aujourd'hui par acte authentique mademoiselle de Sermaise, est l'héritière légitime de mon oncle. Quel que soit le motif qui ait déterminé mon oncle à me déshériter, il ne saurait me convenir de me rencontrer avec elle. Si je me décide à visiter ma mère et mon oncle, je tiens à ce qu'elle soit absente!

—Ah! la pauvre demoiselle, si pieuse, si bonne! Mais c'est le soleil dans la maison que cette jeunesse! Elle n'a plus ni père, ni mère, elle!

—Et moi? demanda Pierre d'un ton terrible.

François se tut et essuya furtivement ses vieux yeux.

—En conséquence, poursuivit Pierre, je t'autorise formellement à dire de ma part à mon oncle ce qui regarde la fille de cuisine, à annoncer ma prochaine visite à ma mère et à faire connaître en particulier à la nommée Geneviève Soultznach que je désire ne pas la trouver là.

—J'obéirai, dit François, les yeux rouges de larmes. Seulement ... oui, pour éviter une mortification aussi cruelle à mademoiselle, je sais bien ce que je ferai! Car, si choyée qu'elle soit chez nous, elle est orpheline et pauvre par le fait.... Enfin, je m'entends....

—Va, François, reprit Villefort, qui craignait de s'apitoyer lui-même, ce sera pour demain mercredi entre le déjeuner et le dîner; bien entendu, je n'accepterai pas à la maison un verre d'eau.

—Adieu, monsieur Pierre, et au revoir! Je bous dans ma peau en songeant à ces commissions-là.... Mais tenez-les pour faites ... c'est votre volonté, voilà tout?...

François partit sans que Pierre levât seulement les yeux.

Le lendemain, mercredi, à l'issue du déjeuner, en attendant l'heure de se présenter rue de Mantes, Pierre Villefort courait à cheval dans la forêt de Marly quand, à un carrefour, il aperçut une Victoria arrêtée, en avant de laquelle se tenait une dame, le visage entièrement masqué par un chevalet de campagne. Le cocher sommeillait, non sur le siège, mais commodément étendu sur les coussins de la voiture. Comme le capitaine hésitait entre plusieurs avenues, la dame artiste eut le temps d'ébaucher ce cavalier, dont l'uniforme donnait sur un fonds d'arbres roussis par l'automne une note bleue assez agréable.

Villefort, campé déjà sans le savoir sur le paysage, se décida pour l'avenue de droite. Il jeta en passant un regard sur l'artiste: c'était Geneviève!

A un mouvement involontaire du capitaine, celle-ci eut un pressentiment.

—François! murmura-t-elle, comme si elle avait peur.

Le domestique se réveilla et, à l'aspect de l'officier qui s'éloignait, il porta machinalement la main à sa casquette galonnée.

—C'est lui, se dit Geneviève, je m'en doutais.

Bien assuré que la jeune fille n'était pas rue de Mantes, Villefort ne fit qu'un temps de galop jusqu'à l'hôtel Sermaise. Là, il entra, attacha sans façon son cheval à l'écurie, et marcha au devant de sa mère et de son oncle qu'il voyait assis dans le jardin.

—Tu t'es donc enfin souvenu de nous? s'écria Mme Villefort en sautant au cou de son fils à qui, en même temps, M. de Sermaise tendait la main.

—Je n'ai jamais cessé de songer à vous, répondit le capitaine en s'asseyant sur un banc, près de sa mère.

—Sais-tu que tu es un fort beau capitaine, reprit l'oncle d'un ton aimable. Tu es donc en garnison à Saint-Germain?

—Oui, mon oncle.

—Tu nous as déjà rendu un bon office en nous apprenant à quelle servante nous avions affaire. Elle est congédiée.

—C'est heureux, car le mal qu'elle a fait n'est pas prêt d'être réparé, dit gravement Villefort.

—Bah! qui se soucie de mes vieilles histoires! Ce n'est jamais que pour le principe qu'il fallait sauvegarder.

—Mais, mon oncle, vos secrets sont aussi un peu les miens.

—Des indiscrétions auraient-elles été commises?

—On sait, par exemple, insinua Villefort, qu'un fils négligent, un neveu plus ou moins indigne, exilé de la maison depuis quinze ans, a été supplanté ici par une étrangère, dont j'ignorais encore l'existence il y a huit jours, ce qui n'a rien de très flatteur pour le nommé Pierre Villefort.

Il y eut un moment de silence pénible.

—Tu ne nous parles pas de notre vieux François, dit Mme Villefort, pour renouer la conversation. Tu ne l'accuseras pas de ne pas t'aimer, celui-là?

—Non, je ne l'en accuserai jamais.... C'est un coeur, lui! Riposta sèchement le capitaine.

Cet éloge de François, quelque mérité qu'il fût, froissa les deux vieillards qui ne se sentaient pas inférieurs, comme sensibilité, à leur vieux domestique.

M. de Sermaise considéra un moment le bout de son escarpin d'un air indéchiffrable, puis:

—Eh bien, Pierre, demanda-t-il, aurons-nous de temps en temps la visite du capitaine Villefort?

—Oui, mon oncle, si vous le permettez, car il serait blessant pour nous tous de justifier en aucune mesure les médisances, mais je vous demanderai comme faveur d'être dispensé ces jours-là, comme aujourd'hui, de la compagnie d'une personne dont la présence est une mortification pour moi. Je tiens à ne pas la trouver sur mon chemin.

Ici, M. de Sermaise et Mme Villefort s'entre-regardèrent avec une profonde tristesse.

—Nous avons pu juger, en effet, dit le vieillard, que la présence de cette personne t'offusque, puisqu'elle n'est pas là, mais peut-être que tes préventions contre elle s'éteindraient si tu apprenais à la connaître!

—Je n'y consentirai jamais, mon oncle, c'est mon dernier mot.

—Alors, riposta M. de Sermaise offensé, c'est adieu, et non au revoir, que je te dis. Quant à ta mère, elle est chez elle ici, elle le sait surabondamment. C'est elle qui te recevra, et je me permets de t'engager à la voir souvent, car nous sommes vieux ... et tout exige que la mère et l'enfant soient ou paraissent unis!

—Il est vrai, dit Pierre. Eh bien, il en sera ainsi. Adieu, mon oncle!
Au revoir, ma mère!
Il se leva péniblement ému.

Mme Villefort regardait son fils avec des yeux inondés de larmes, mais sans articuler une parole. Elle et lui étaient debout.

M. de Sermaise demeurait seul assis et visiblement accablé.

Tout à coup, il se leva aussi, vint frapper familièrement sur l'épaule du capitaine et lui dit:

—Vois-tu, mon enfant, tu empoisonnes volontairement ta vie par ton entêtement. J'ai là-haut dans ma chambre un livre où, depuis vingt ans, j'écris mes pensées jour par jour; quand je n'y serai plus, tu le liras ligne à ligne et alors tu pleureras et tu me pleureras! Et tu n'accuseras que toi seul!

—Alors j'aimerais mieux le lire de suite, dit vivement Pierre.

—Tu le veux? Eh bien! va, tu trouveras sur mon bureau un livre à fermoir. Voici la clef, va, et connais la vérité sur toi-même et sur les autres....

—J'accepte, dit Villefort d'un ton résolu.

Il prit la clef et monta chez M. de Sermaise.

—Que fais-tu, mon ami, dit la veuve à son frère quand ils furent seuls. Tu livres ainsi, sans les avoir relues, les confidences d'une vie aussi longue à un pauvre malade enclin à tourner tous les textes au profit de ses folles rancunes.

—Qu'importe, répliqua M. de Sermaise, il faut que cette situation soit liquidée. On peut regarder le fond de ma vie, on n'y verra que tendresse et loyauté. Si Pierre prend de cette lecture texte contre moi, c'est qu'il sera fou incurablement.

Mme Villefort reprit avec résignation son ouvrage de tapisserie qui occupait ses mains sans distraire sa tête d'une préoccupation pleine d'angoisses, tandis que son frère lisait, sans lire.

Deux mortelles heures passèrent ainsi, et Pierre ne descendait pas. Les deux vieillards tremblaient que François ne ramenât Geneviève avant le départ du capitaine.

Cependant le jour baissait et cinq heures venait de sonner, quand les venteaux verts de la porte cochère grincèrent sur leurs gonds et François apparut, mais, à part les engins de peinture de Geneviève, la Victoria était vide.

—Et mademoiselle? demanda Mme Villefort.

—Mademoiselle s'est arrêtée à l'église, elle prie madame de vouloir bien aller l'y chercher quand madame le jugera à propos,

Ceci fut dit à haute voix, dans la cour.

La vieille dame affecta de ne manifester aucune surprise de ce retard; dans son for intérieur, elle admira la délicatesse de la jeune fille, qui avait compris que l'offre de François de la mener peindre devait avoir du rapport avec la venue du capitaine, et qui ne voulait pas revenir à la maison mal à propos.

Tout à coup Pierre apparut dans le vestibule.

Il descendit très calme en apparence, mais excessivement pâle.

A sa vue, François se découvrit et s'avança vers lui sans oser lui adresser la parole. Mme Villefort feignit de s'occuper d'un massif de rosiers, qu'elle émondait avec ses ciseaux, tandis que M. de Sermaise s'avançait, tenant toujours son journal dans ses mains tremblantes.

Pierre considéra tour à tour ces visages vénérables, altérés par l'angoisse présente et le souvenir d'anciennes douleurs, puis:

—Ne dételle, pas, François, dit-il de ce ton bref qui lui était propre, j'ai besoin pour un quart-d'heure de la voiture et de toi.

Et comme François, intrigué, considérait Pierre pour s'assurer que c'était sérieux:

—Vous permettez, mon oncle? ajouta-t-il.

—Volontiers, répondit M. de Sermaise, mais ton cheval?

—Je vais venir le reprendre. A propos, voici votre clef.

—Fais, fais! repartit l'oncle qui ne pouvait s'imaginer où Pierre voulait aller à pareille heure.

Le capitaine monta dans la Victoria.

—A l'église! commanda-t-il tout bas.

Place du Château, Pierre Villefort sauta à bas de la voiture et entra dans l'église, presque déserte à cette heure. Avec aussi peu de bruit qu'il était possible, il s'avança vers la place où Geneviève était assise.

En apercevant le capitaine, la jeune fille tressaillit.

Pierre s'inclina respectueusement et dit à voix basse:

—La voiture de mademoiselle l'attend!

Geneviève, troublée, rougit excessivement, elle se leva comme mue par un Ressort et obéit.

—Je vous remercie, monsieur, balbutia-t-elle.

Elle salua l'autel et, escortée du capitaine, elle atteignit le bénitier, où Pierre l'avait devancée pour lui tendre la goutte d'eau lustrale: elle se signa, s'inclina encore pour remercier et sortit en pleine lumière sous le péristyle de l'église. Le capitaine fit un geste. La Victoria vint s'arrêter devant eux.

Villefort mit Geneviève en voiture, et dit à François, qui n'en revenait pas:

—Rue de Mantes.

—Monsieur ne monte pas?

Pierre fit un signe négatif et salua de nouveau. La voiture partit au trot.

Villefort revint à pied. A son arrivée rue de Mantes, la cour était déjà déserte. François achevait de dételer. Le capitaine ne demanda à voir personne.

Il se fit simplement amener son cheval.

—Merci ... et au revoir! dit-il à François, en mettant le pied à l'étrier; puis il piqua des deux et s'éloigna au galop.

M. de Sermaise, cédant à une curiosité bien naturelle, était remonté chez lui, pensant retrouver sur le fameux livre la trace des sentiments qui avaient animé Pierre pendant sa lecture. Le livre était intact, à la réserve de trois pages qui étaient cornées: la première, à la date de juillet 1863, portait collée au verso une lettre de Pierre, pleine d'injures et d'outrages à l'adresse de sa famille. Elle était jadis tombée entre les mains de M. de Sermaise, par hasard, et elle venait là après le récit des amertumes sans nombre dont le jeune homme avait abreuvé ses parents.

Pierre s'était contenté de tracer en travers de cette lettre, au crayon rouge, ces simples mots:

«Authentique et infâme.—Pierre Villefort»

—Après quinze ans, pensa M. de Sermaise, c'est ainsi que Pierre se juge lui-même! C'est très beau de la part d'un capitaine de trente-six ans!

Et il essuya une larme qui lui parut bien douce.

L'autre page, cornée beaucoup plus loin, exprimait aussi les hésitations Eprouvées par M. de Sermaise, quand, dévoré du désir d'être aimé de quelqu'un, il avait recueilli Geneviève Soultznach, âgée de dix ans, et qui végétait à l'Asile alsacien-lorrain du Vésinet; Geneviève, remarquablement douée à tous égards, était fille d'un fonctionnaire ruiné et orpheline.

Pierre Villefort avait corné cette page mémorable, mais sans l'annoter d'aucune manière. Il avait passé outre.

Enfin, plus loin encore, M. de Sermaise trouva dans son manuscrit ces mots soulignés avec le même crayon rouge:

«... Pierre est lieutenant de cavalerie. Ses notes sont honorables; si son coeur se tournait vers moi, mais spontanément et sans aucun calcul que celui de l'amitié, il me semble que je pourrais l'aimer encore....»

A la suite de cette phrase déchirante dans sa simplicité, Pierre avait tracé au crayon rouge un point d'interrogation sceptique et pâle.

Et puis, roide comme la justice ou comme l'ingratitude, mais peut-être Aussi comme la fausse honte, le capitaine Villefort était sorti de la maison Sermaise ... mais il était allé chercher à l'église, où il avait entendu dire qu'elle attendait son rappel, cette jeune fille qu'il avait dit à François, à Mme Villefort, à M. de Sermaise lui-même, ne vouloir pas trouver sur son chemin!

Au dîner, M. de Sermaise fut plus gai que de coutume. Chacun, y compris François qui servait, cherchait à deviner la pensée qui le faisait sourire, quand il dit à Geneviève:

—Eh bien! fillette, c'est donc ce polisson de capitaine qui est allé te chercher?

—Oui, père, c'est bien gracieux de la part de monsieur Villefort, d'autant plus qu'à vrai dire, je ne lui ai jamais été présentée. Quand je l'ai vu paraître, j'ai éprouvé le sentiment d'un petit chien qui s'était égaré et que son maître vient rechercher. Car il est sévère de visage, monsieur Villefort! Enfin, il ne m'a pas corrigée! Il était même bien bon de s'occuper de moi. N'ai-je pas le tort de vous aimer?

—Il te pardonnerait bien vite ce défaut-là, dit l'oncle, s'il était capable de le partager.

—De tels sentiments ne se partagent pas, dit en secouant la tête Mme Villefort, ils n'engendrent que la jalousie.
—Oh! moi, dit Geneviève avec une étourderie charmante, je me chargerais bien de vous aimer concurremment avec quelqu'un. Je ne suis jalouse de rien, ni de personne. Et d'abord, je n'en ai pas le droit. La preuve, c'est que j'ai pris ce matin, avec joie, la poudre d'escampette. J'avais bien compris pourquoi François m'emmenait me promener. Il était bien naturel que monsieur Pierre voulût vous voir seuls. J'en aurais fait autant à sa place. Oh! à propos, monsieur Pierre!... Il a posé sans le savoir aujourd'hui, devant moi, et j'ai pris sa photographie instantanée avec son cheval! François, mon étude! Hein! est-il ressemblant?

—Le cheval surtout, dit François sérieusement.

—Tu pourrais me faire un bien grand plaisir, mon enfant, Ce serait en me donnant cette étude-là?

—Elle est à vous, père, dit l'espiègle jeune fille en embrassant M. de Sermaise.
—Ah! si le modèle était là, comme j'aurais du plaisir à mettre un couvert de plus, soupira le vieux domestique, qui avait son franc parler dans la famille.

Tous se turent.

C'était formuler, d'une façon saisissante et naïve à la fois, la secrète Préoccupation et peut-être même, à présent, l'espérance de tous.
A quelques jours de là, Pierre reparut rue de Mantes sans s'être fait annoncer. Il était en grande tenue. François vint lui ouvrir.

—C'est toi, vieille bête, lui dit le capitaine d'une meilleure voix que par le passé.

—Oui, monsieur Pierre! Vous désirez voir madame votre mère?

—Madame Villefort et les autres! Dit simplement le capitaine en regardant François bien en face.

Cet: «Et les autres!» fit sauter de joie le vieux domestique, qui se précipita dans l'escalier, en annonçant à pleine voix:

—Monsieur Pierre Villefort!

M. de Sermaise, qui avait entr'ouvert sa porte pour savoir qui il entendait parler à l'étage inférieur, la referma sans bruit, et Mme Villefort descendit seule.

Pierre embrassa sa mère sans parler, puis:

—Mon oncle ne descend pas? demanda-t-il.

—Hélas! mon enfant, après ce qui s'est passé....

—C'est juste, répliqua le capitaine. Du reste, c'est à moi de le remercier de la communication qu'il m'a faite l'autre jour. Je vais monter chez lui, s'il veut bien me recevoir.

—Va sans crainte, mon enfant; mais c'est ... qu'il n'est pas seul.

—Il est occupé?

—Oh! à ne rien faire! À laisser faire son portrait.

—Raison de plus. Ce sera pour moi une occasion de saluer le peintre.

—Merci, cher enfant!

Pierre monta et frappa à la porte de son oncle qui cria: Entrez!

A la vue du capitaine, Geneviève salua discrètement et fit mine de se retirer.

—Pardon, mademoiselle, vous n'êtes pas de trop ici, puisque vous y êtes chez vous, dit Villefort.

—Il me semble, hasarda la jeune fille, enhardie par cette parole courtoise, que vous êtes ici plus encore chez vous que je ne saurais l'être.

—Il vous plaît de le penser, répliqua le capitaine souvent problématique dans la concision de ses phrases.

Puis quand tous trois furent assis:

—Mon oncle, dit Pierre, je compte quitter Saint-Germain, j'ai tenu à prendre congé de vous, de ma mère et de ... mademoiselle de Sermaise, ajouta-t-il avec effort.

—Pourquoi nous quitter? Ta présence à notre foyer serait notre joie, s'exclama M. de Sermaise.

—Ah! si vous restiez, monsieur Villefort, dit Geneviève tout à coup, vous auriez de moi une bien belle récompense!

—Laquelle? demanda vivement Pierre en fronçant légèrement le sourcil.

—Daignez venir ici, monsieur, dit la jeune fille sans lever les yeux de sa palette.

Pierre, très étonné, se leva et s'avança vers la jeune artiste.

—Écoutez, lui dit-elle alors tout bas en souriant, malgré les larmes qui perlaient au bord de ses paupières, je ne vous offrirai pas ma main, vous ne sauriez qu'en faire, ni votre portrait, je ne me sens pas de force, il n'y a que M. de Sermaise pour s'intéresser à mes barbouillages. Mieux que cela! Mieux que tout cela!

Et Geneviève chuchota à l'oreille de Pierre:

—Je m'en irais sans rien emporter d'ici, qu'une éternelle reconnaissance!

Villefort tressaillit.

—Que dites-vous donc là tous deux? demanda M. de Sermaise, impatienté de ne rien comprendre à cet aparté.

—Des trois choses dont parle mademoiselle, dit tout haut Villefort, je n'en accepte qu'une mon portrait, quand elle aura fini, le vôtre, mon oncle. Il remplacera celui qu'on a tourné contre le mur, ajouta-t-il en riant. Ainsi, c'est entendu, mon portrait quand je reviendrai. En attendant, je pars!

—Pour longtemps? demanda M. de Sermaise assombri.

—Cela dépendra, murmura le capitaine; mais vous aurez de mes nouvelles.

Puis, désignant le livre à fermoir:

—Vous allez brûler cela, je pense?

—C'est fait, mon enfant, répondit le vieillard, en lui montrant que du fameux journal il ne restait plus que les feuillets blancs et la couverture.

—Voilà un oncle parfait, s'écria le capitaine.

—Oh! je le sais! dit Geneviève avec ferveur.

—Non! simplement un oncle, rectifia M. de Sermaise.

—Dans tous les cas, un oncle rare! Déclara Villefort.

—Ce duo, dit gaiement le vieillard, est aimable à entendre, mais il a duré suffisamment. Il en est un autre qui ne me déplairait pas non plus....

—Lequel? demanda Geneviève.

—Puisque Pierre part, j'espère bien que ce sera pour son retour, répondit M. de Sermaise sans s'expliquer davantage.

Le capitaine regarda la jeune fille qui baissa les yeux.

Après quelques instants de silence, Villefort se leva de nouveau et dit adieu à son oncle et à Geneviève. Pour toute plainte, pour toute réclamation contre un arrêt qui lui faisait peine, M. de Sermaise dit à Pierre résolument:

—J'aurai demain soixante-quinze ans. Fais-moi un grand plaisir. Tu me dois bien cela.

—Que désirez-vous?

—Ne pars pas! Reste.

Villefort ne répondit pas. Il regarda la jeune fille.

—Monsieur Pierre accepte! déclara joyeusement Geneviève.

Elle lui tendit la main, sur laquelle le capitaine déposa un baiser.

—Enfin! voilà donc mon dîner à quatre couverts! s'écria François qui entrait à ce moment avec Mme Villefort.

Milton Keynes UK
Ingram Content Group UK Ltd.
UKHW050714181023
430769UK00009B/280